Collection
PROFIL LIT...
dirigée par Georges ...   S0-AFE-316

Série
PROFIL D'UNE ŒUVRE

Phèdre (1677)

RACINE

Résumé
Personnages
Thèmes

ROGER MATHÉ
ALAIN COUPRIE
docteurs ès lettres

HATIER

Dans la collection « Profil », titres à consulter dans le prolongement de cette étude sur *Phèdre*.

• Sur Racine et son œuvre

— *Histoire de la littérature en France au XVIIᵉ siècle*
(« Histoire littéraire », **120**).
— *Memento de littérature française* (« Histoire littéraire », **128-129**).

• Sur la passion amoureuse

— CORNEILLE, *Le Cid* (« Profil d'une œuvre », **133**) ; la passion amoureuse, chap. 6.
— MADAME DE LA FAYETTE, *La Princesse de Clèves* (« Profil d'une œuvre », **112**) ; amour et dégradation morale, chap. 6.
— MUSSET, *Les Caprices de Marianne, On ne badine pas avec l'amour* (« Profil d'une œuvre », **153**) ; Cœlio, une passion intense.
— RACINE, *Andromaque* (« Profil d'une œuvre », **149**) ;
la passion amoureuse, chap. 5.

• Sur le destin, la fatalité

— RACINE, *Britannicus* (« Profil d'une œuvre », **109**) ; fatalité, chap. 7.
— ABBÉ PRÉVOST, *Manon Lescaut* (« Profil d'une œuvre », **6**) ; puissance de la fatalité, chap. 4.

• Sur la tragédie et le tragique

— *Le théâtre, problématiques essentielles* (« Histoire littéraire », **151-152**).
— *Histoire de la littérature en France au XVIIᵉ siècle* (« Histoire littéraire », **120**) ; Racine, une perfection tragique.
— RACINE, *Britannicus* (« Profil d'une œuvre », **109**) ;
le tragique, chap. 7.
— RACINE, *Andromaque* (« Profil d'une œuvre », **149**) ;
le tragique, chap. 7.

• Profil 1000, « Guide des Profils »

Guide pour la recherche des idées, des thèmes, des références, à partir de la collection « Profil ».

© HATIER, PARIS Septembre 1993   ISSN 0750-2516   ISBN 2-218-04722-5

SOMMAIRE

Phèdre (1677)

JEAN RACINE
(1639-1699)

THÉÂTRE XVIIe
TRAGÉDIE CLASSIQUE

RÉSUMÉ

– **Acte I :** À Trézène, en Grèce, à une époque fort lointaine, Phèdre, seconde épouse du roi Thésée, est tombée amoureuse de son beau-fils Hippolyte. Cette passion lui semble si monstrueuse qu'elle se résout à mourir plutôt que d'avouer son amour. Ne pouvant toutefois supporter le chagrin de sa nourrice Œnone, qui la voit dépérir, elle lui confie l'origine du mal qui la consume. Bientôt circule la rumeur de la mort de Thésée, absent depuis de longs mois.

– **Acte II :** Sa succession au trône ouvre une crise politique. Phèdre consulte Hippolyte ; mais, troublée par la présence du jeune homme, elle finit par lui avouer qu'elle l'aime. Hippolyte s'enfuit, horrifié.

– **Acte III :** Thésée serait vivant, apprend-on aussitôt après. Phèdre mesure l'horreur de sa situation. Et si Hippolyte venait à parler ? Œnone lui suggère de prendre les devants et d'accuser Hippolyte de tentative de viol. Phèdre s'indigne, puis, accablée, laisse Œnone agir à sa guise.

– **Acte IV :** Celle-ci le dénonce à Thésée dès son retour. Désespoir et fureur de Thésée. Pour preuve de son innocence, Hippolyte lui révèle qu'il aime Aricie. Thésée ne le croit pas. Honteuse et repentante, Phèdre accourt pour lui révéler la vérité. Mais elle apprend par la bouche d'Œnone qu'Hippolyte aime Aricie. Jalouse, elle décide de ne rien dire. Malgré l'intervention d'Aricie, Thésée demande à Neptune de punir son fils.

– **Acte V :** Le suicide d'Œnone, désespérée de se voir condamnée par Phèdre, le trouble. Trop tard. Un dragon, surgi de la mer sur ordre de Neptune, tue Hippolyte. Phèdre confesse son crime à Thésée et s'empoisonne.

PERSONNAGES PRINCIPAUX

– **Thésée,** roi de Trézène et d'Athènes, homme mûr, au passé galant et héroïque.

– **Phèdre,** épouse déçue et trompée de Thésée, amoureuse d'Hippolyte, poursuivie par la haine ancestrale de la déesse Vénus.

– **Hippolyte,** fils de Thésée et d'Antiope, complexé par la gloire de son père et amoureux d'Aricie.

– **Œnone,** nourrice, dévouée corps et âme, de Phèdre.

– **Aricie,** jeune princesse courageuse, éliminée du trône d'Athènes par Thésée qui, pour des raisons politiques, lui a interdit de se marier sous peine de mort.

THÈMES

1. La passion amoureuse.
2. La fatalité et la culpabilité.
3. La politique.

TROIS AXES DE LECTURE

1. Une tragédie de la passion
L'amour racinien se présente comme une force irrationnelle, irrésistible et destructrice. La fatalité pèse sur lui, sans exclure toutefois la culpabilité.

2. Une tragédie classique
Phèdre est considérée comme la tragédie la plus représentative du théâtre classique du XVIIe siècle. Sa construction respecte scrupuleusement les unités de temps, de lieu, d'action, ainsi que les autres règles que le classicisme imposait à la tragédie.

3. Une tragédie poétique
Par la musique de ses vers, par son lyrisme et par ses images, la pièce illustre l'exceptionnel poète que fut Racine.

1 Phèdre
dans la carrière de Racine

Quand il fait jouer *Phèdre*, le 1er janvier 1677, Racine peut s'enorgueillir de sa réussite. Ce provincial sans fortune, né vers la mi-décembre 1639 dans l'obscure bourgade champenoise de La Ferté-Milon, et qui fut très tôt orphelin, a en effet accumulé les succès littéraires et mondains.

LA RÉUSSITE LITTÉRAIRE

En treize ans, depuis la création de *La Thébaïde* (1664), sa première pièce, Jean Racine s'est imposé comme le meilleur dramaturge de sa génération. *Alexandre* (1665), *Andromaque* (1667), *Bérénice* (1670), *Bajazet* (1672), *Mithridate* (1673), *Iphigénie* (1674) ont remporté d'immédiats et éclatants succès. Même *Britannicus* (1669), d'abord assez froidement accueilli, a fini par triompher. Racine surpasse alors en célébrité tous ses confrères.

Écrivain à succès, Racine est aussi un auteur consacré et reconnu par les institutions littéraires de son temps. Depuis 1664, il reçoit (privilège envié) une pension annuelle que le mécénat organisé par Louis XIV verse aux artistes et gens de lettres qui célèbrent son règne. Honneur plus exceptionnel encore, il est devenu, grâce à la faveur dont il jouit auprès du roi, un fournisseur des spectacles officiels[1] : *Andromaque* puis *Bérénice* sont créées lors de fêtes de Cour ; *Iphigénie* est interprétée dans le cadre somptueux de Versailles. Depuis 1672, Racine siège enfin à l'Académie française. Aussi, à l'aube de l'année 1677, rayonne-t-il de génie et de gloire. Il a trente-sept ans.

---

1. Louis XIV organisait régulièrement à la Cour de magnifiques fêtes, au programme desquelles figuraient souvent des représentations théâtrales. Y voir une de ses oeuvres jouée était pour un dramaturge un honneur et une récompense insignes.

■■■■ LA RÉUSSITE MONDAINE

Son ascension sociale n'est pas moins éclatante. Dans la hiérarchie des valeurs de l'époque, le métier de dramaturge, même s'il procurait une certaine notoriété auprès du grand public, demeurait moralement peu estimé. Voir, approcher le roi, lui parler, à plus forte raison occuper une fonction à la Cour, constituaient les seuls vrais honneurs.

Or, depuis ses premiers poèmes composés en 1660, Racine n'a cessé de poursuivre une double carrière, littéraire et mondaine. La renommée que lui donne le succès de ses pièces a facilité son ascension sociale. La belle-sœur (Henriette d'Angleterre) et la maîtresse du roi (Mme de Montespan) le protègent ouvertement. Louis XIV apprécie ses tragédies, assiste en personne à certaines de leurs représentations. Ces protections lui ont permis d'être anobli en 1674.

De dramaturge célèbre, Racine est devenu un personnage socialement important. Il le sera davantage encore en septembre 1677, neuf mois après *Phèdre*, quand Louis XIV le nommera (avec Boileau) son historiographe, c'est-à-dire qu'il le chargera officiellement de rédiger l'histoire de son règne. La promotion sera vertigineuse. Être chargé d'immortaliser la gloire du monarque passait en effet pour la plus haute dignité littéraire. Ainsi, de même que *Phèdre* marque le couronnement de la carrière théâtrale de Racine, de même cette nomination constituera l'apogée de sa carrière mondaine.

■■■■ LA GUERRE
DES DEUX « PHÈDRE »

La *Phèdre* de Racine connaît pourtant des débuts difficiles. Représentée pour la première fois à l'Hôtel de Bourgogne, l'un des plus anciens théâtres de Paris, le vendredi 1er janvier 1677, elle doit affronter presque aussitôt la concurrence de *Phèdre et Hippolyte*, tragédie rédigée sur le même thème par le poète rouennais Pradon et jouée le dimanche 3 janvier 1677 au Théâtre Guénégaud[1].

---

1. En fusionnant le 18 août 1680 avec la troupe de l'Hôtel de Bourgogne, la troupe de l'Hôtel Guénégaud (ex-troupe de Molière) formera la Comédie-Française.

Racine s'émeut d'autant plus de cette concurrence que l'œuvre de Pradon obtient un vif succès. Il demande en vain à la Cour d'interdire la représentation et l'impression de la pièce rivale. Une querelle s'ensuit. Cependant que des amis s'interposent et calment la dispute, le public continue de préférer la tragédie de Pradon. Si, dans sa septième *Épître*, Boileau exalte la beauté incomparable de la *Phèdre* de Racine, d'autres jugent sévèrement l'effronterie et l'impudicité de l'héroïne, la crédulité de Thésée, la monotonie du récit de Théramène.

Après deux mois, toutefois, la situation s'inverse peu à peu. Jouée du 3 au 31 janvier 1677, l'œuvre de Pradon ne l'est plus que six fois en février, cinq en mai, puis disparaît de l'affiche, tandis que celle de Racine entame sa prodigieuse carrière. Fin mai 1677, la cause est entendue. Racine triomphe de son rival.

■■■■■■■ LE SILENCE DE RACINE

Après *Phèdre*, le poète n'écrira plus, durant douze ans, pour le théâtre. Jusqu'à sa mort (21 avril 1699), il exercera consciencieusement son métier d'historiographe. Certes, il composera encore *Esther* (1689) et *Athalie* (1691), mais ce sera sur la demande expresse de Mme de Maintenon (maîtresse puis seconde épouse de Louis XIV) ; et ces deux tragédies seront jouées par les demoiselles de Saint-Cyr[1], non par des comédiens professionnels. Avec *Phèdre* disparaît donc un certain Racine : le dramaturge de métier, l'analyste, voire le chantre de la passion amoureuse.

Ce silence n'a depuis lors cessé d'intriguer. Comment comprendre qu'après avoir conçu un chef-d'œuvre, Racine ait renoncé en pleine gloire à sa carrière de dramaturge ? De toutes les hypothèses qui ont été formulées depuis le XVIIe siècle, seule l'explication selon laquelle le retour de Racine à

---

1. Du nom de la maison d'éducation établie à Saint-Cyr-l'École, près de Paris, que Mme de Maintenon fonda en 1686 pour recueillir et élever des jeunes filles nobles, mais désargentées. Elle demanda à Racine d'écrire des tragédies pour les éduquer et les divertir.

la foi et au jansénisme[1] l'aurait éloigné du théâtre, mérite d'être examinée. Ancien élève des « Petites Écoles » de Port-Royal[2], formé et marqué par la doctrine janséniste, Racine s'était brouillé avec ses maîtres en 1666 quand l'un d'eux, Nicole, avait comparé le métier de dramaturge à un rôle d'« empoisonneur public, non des corps, mais des âmes des fidèles ». Se croyant visé, Racine avait répliqué par une *Lettre* mordante et ironique, et aussitôt rompu avec Port-Royal. Or, à l'époque où il compose *Phèdre*, Racine travaille à se réconcilier avec les jansénistes. Pour gage de sa sincérité et preuve de son repentir, il aurait décidé d'abandonner son métier. On a avancé à l'appui de cette hypothèse une phrase de la préface de *Phèdre*, dans laquelle Racine affirme vouloir « réconcilier la tragédie avec quantité de personnes célèbres par leur piété et leur doctrine », formule où l'on a vu une allusion aux jansénistes. Mais on a depuis fait remarquer que les jansénistes étaient à l'époque fort peu nombreux, et que tous les dramaturges ne cessaient d'insister dans leur préface sur la moralité de leurs œuvres.

Aussi l'origine du silence de Racine est-elle surtout à rechercher dans la nouvelle situation qui est la sienne quand il est nommé historiographe de Louis XIV. Son statut change, devient incompatible avec la profession décriée de dramaturge. Écrivain attaché à la Cour, témoin des faits et gestes du roi qu'il est désormais chargé de consigner pour l'histoire, il doit se conformer aux obligations que son état lui impose. Continuer à écrire pour le théâtre irait à l'encontre de l'idée que l'on se faisait de la respectabilité.

Phèdre possède donc une double caractéristique. La pièce correspond au faîte de la carrière théâtrale de Racine ; et, tant par sa construction dramatique que par sa poésie, elle incarne, dans l'histoire du théâtre du XVIIe siècle, la tragédie classique par excellence.

---

1. Du nom de Jansénius (théologien hollandais, 1585-1638) qui professait des idées austères et rigoristes sur la grâce et la prédestination, voir pp. 66-68.
2. Fondée en 1204 près de Chevreuse (30 kilomètres au sud-ouest de Paris), l'abbaye de Port-Royal devint le foyer du jansénisme. Près de l'abbaye, des bourgeois parisiens, pieux, austères et érudits (qu'on appelait alors les « Solitaires »), fondèrent les « Petites Écoles », c'est-à-dire un établissement d'enseignement destiné aux adolescents.

2 Résumé

La pièce se déroule à Trézène, ville grecque située en Argolide, dans l'actuel Péloponnèse.

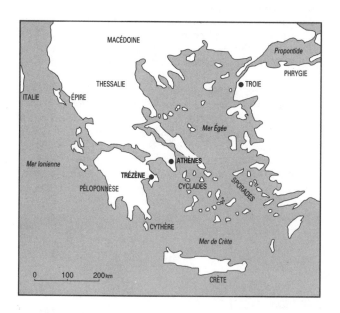

ACTE I

Scène 1 : Hippolyte confie à son « gouverneur » (son précepteur) Théramène son intention de partir à la recherche de son père Thésée, disparu au cours d'une expédition téméraire dans des régions voisines du royaume de Pluton (les Enfers). En réalité, amoureux novice et jusqu'alors misogyne, il fuit une jeune princesse, Aricie, qu'il adore, mais que la raison d'État lui interdit d'aimer. En effet, Thésée redoute que, si Aricie se mariait, elle n'ait des enfants qui sauraient plus tard faire valoir leurs droits politiques sur le trône d'Athènes. Aussi a-t-il interdit à quiconque d'épouser Aricie.

Scène 2 : Le jeune homme désire en outre partir sans faire ses adieux à sa belle-mère, Phèdre (l'épouse de Thésée), qui le hait, croit-il, et que ronge un mal mystérieux.

Scène 3 : Phèdre paraît sur scène, physiquement et moralement épuisée, déjà résolue à se laisser mourir sans aucun mot d'explication. Œnone, sa nourrice, qui lui est dévouée corps et âme, finit pourtant par lui arracher son fatal secret : elle est follement éprise de son beau-fils. Phèdre ne s'en juge pas moins criminelle puisqu'elle trahit ses devoirs de reine, d'épouse et de mère (Phèdre a en effet de son mariage avec Thésée un fils, Acamas, dont on parle souvent dans la pièce mais que l'on ne voit jamais). Œnone demeure stupéfaite.

Scène 4 : Coup de théâtre ; on apprend que Thésée est mort. Cette soudaine nouvelle ouvre aussitôt une crise politique. « Pour le choix d'un maître Athènes se partage » (v. 325) entre Acamas (fils de Thésée et de Phèdre), Hippolyte (fils de Thésée et d'Antiope) et Aricie, dont les aïeux régnèrent jadis sur la ville. Mais, en même temps, l'avenir s'éclaire pour Phèdre, dont la passion cesse d'être coupable puisque la mort de Thésée rompt tout lien familial entre elle et Hippolyte.

Scène 5 : C'est ce que lui démontre Œnone pour lui rendre le goût de vivre. Qui plus est, en se rapprochant d'Hippolyte, elle défendra les intérêts de son fils contre Aricie. Phèdre se laisse convaincre et accepte de continuer à vivre.

■■■■■ ACTE II

Scène 1 : Hippolyte qui, comme tout un chacun, a appris la mort de son père, a décidé de partir pour Athènes afin d'y apaiser les luttes pour la succession qu'engendre la disparition de Thésée. Mais avant son départ, il a demandé une entrevue à Aricie. La jeune princesse est intriguée, charmée, car elle aime en secret cet homme timide dont elle a deviné qu'il l'aimait de son côté.

Scène 2 : Hippolyte entretient d'abord Aricie de politique et lui propose une solution qu'il estime satisfaisante pour tous. En tant que petit-fils de Pitthée, ancien roi de la ville, il règnera sur Trézène ; Aricie aura Athènes, et Acamas la Crète de son grand-père Minos. Mais, progressivement, il avoue à la jeune fille l'amour qu'elle lui inspire et qui le trouble, car c'est la première fois qu'il aime.

Scènes 3 et 4 : L'arrivée de Phèdre interrompt le duo d'amour qui s'ébauchait entre Aricie et Hippolyte. Aricie s'enfuit.

Scène 5 : Émue par la présence d'Hippolyte, emportée par sa passion, Phèdre brosse le portrait de l'homme qu'elle aime et qui s'avère être moins celui de Thésée que d'Hippolyte. Étonné, Hippolyte feint de ne pas comprendre et s'apprête à rompre l'entretien quand, abandonnant toute précaution de langage, Phèdre lui fait l'aveu direct de son amour. Pour forcer le silence méprisant d'Hippolyte, elle menace de se tuer.

Scène 6 : Nouveau coup de théâtre : Athènes, apprend-on, s'est déclarée pour Acamas ; et une rumeur circule : Thésée serait vivant.

ACTE III

Scène 1 : Cette rumeur désespère Phèdre, honteuse à l'idée du scandale qui risque d'éclater au grand jour. Mais, se refusant à admettre la répulsion qu'elle inspire au jeune homme, elle ordonne à sa nourrice, entremetteuse malgré elle, de plaider sa cause en flattant l'ambition d'Hippolyte.

Scène 2 : Demeurée seule, Phèdre recouvre sa lucidité, mesure l'horreur de sa situation, et supplie Vénus (la déesse de l'amour) de rendre Hippolyte sensible à ses charmes.

Scène 3 : La rumeur se confirme. On annonce l'arrivée prochaine de Thésée. Phèdre, épouvantée, songe à se suicider. Survient Œnone qui rend compte à Phèdre de la conversation qu'elle a eue avec Hippolyte.

Celui-ci a refusé de l'écouter jusqu'au bout. Aussi Œnone suggère-t-elle à Phèdre de dire à Thésée que c'est Hippolyte qui ose aimer sa belle-mère. À bout d'énergie, Phèdre cède et laisse Œnone agir à sa guise.

Scènes 4 et 5 : Thésée paraît enfin sur scène et s'étonne que son épouse l'évite et qu'elle tienne des propos lourds de sous-entendus : « Vous êtes offensé » (v. 917), lui dit Phèdre. Quant à Hippolyte, il demande à son père de ne plus revoir Phèdre et il le supplie de le laisser quitter Trézène. Aussi Thésée décide-t-il de faire une enquête pour savoir ce qui s'est passé en son absence.

Scène 6 : Hippolyte s'inquiète, pressent la perfidie de Phèdre, mais est bien résolu à obtenir de son père l'autorisation d'épouser Aricie.

▬▬▬ ACTE IV

Scène 1 : Mettant en œuvre le mensonge qu'elle a imaginé, Œnone révèle à Thésée qu'Hippolyte a déclaré son amour à Phèdre. Thésée s'indigne.

Scène 2 : Hippolyte tente en vain de convaincre son père de son innocence et, pour preuve de sa bonne foi, il lui révèle son amour pour Aricie. Mais Thésée croit que son fils veut lui donner le change et il appelle sur Hippolyte la vengeance de Neptune, dieu des Océans.

Scène 3 : Demeuré seul, Thésée donne libre cours à son désespoir et se demande comment il a pu engendrer un fils si coupable.

Scène 4 : Phèdre, pleine de repentir, accourt pour révéler la vérité à Thésée. Mais elle apprend par la bouche de ce dernier qu'Hippolyte aime Aricie. Cette soudaine révélation la laisse stupéfaite. Aussi ne dit-elle rien à son mari du mensonge d'Œnone.

Scène 5 : La rage et la jalousie aveuglent Phèdre, qui se résout à laisser périr l'ingrat. Elle pourrait en effet accepter qu'Hippolyte ne l'aime pas, mais elle ne peut supporter qu'il aime une autre femme.

Scène 6 : En présence d'Œnone, Phèdre mesure son infamie et son humiliation. Elle prend un plaisir presque pervers à les ressasser. En proie au délire, elle se sent condamnée par les hommes, damnée par les dieux, et elle maudit et chasse Œnone dont les perfides conseils, dit-elle, lui ont fait oublier ses devoirs.

Scène 1 : Aricie exhorte Hippolyte à se défendre. Elle lui suggère d'accuser à son tour son accusatrice et de révéler l'amour que Phèdre lui porte. Hippolyte refuse de suivre ce conseil. Il ne veut pas désespérer son père en dénonçant Phèdre. Les dieux, ajoute-t-il, auront à cœur de le justifier et de faire éclater son innocence. Aussi préfère-t-il ne rien dire et quitter Trézène. Hippolyte demande alors à Aricie de l'accompagner dans sa fuite, et, afin qu'elle ne croie pas qu'il s'agit d'un déshonorant enlèvement, il lui propose de l'épouser dans le temple qui se dresse à la sortie même de la ville. Aricie a tout juste le temps d'accepter, que l'arrivée de Thésée rompt la conversation des deux jeunes gens. Hippolyte disparaît, laissant Aricie seule sur scène.

Scène 2 : Dans une courte prière, Thésée implore les dieux de l'éclairer enfin sur ce qui s'est vraiment passé en son absence, cependant qu'Aricie envoie discrètement sa confidente préparer son départ.

Scène 3 : Thésée qui a vu son fils disparaître à son arrivée et qui imagine que les deux jeunes gens s'entretenaient de leur amour, invite Aricie à se méfier des déclarations et des promesses d'Hippolyte. Indignée et malheureuse de constater que Thésée se laisse abuser par des calomnies, Aricie entreprend un plaidoyer passionné en faveur d'Hippolyte, dont elle rappelle les vertus. Puis, comme elle ne parvient pas à convaincre Thésée, elle lui laisse entendre, à bout d'arguments, qu'un « monstre » (Phèdre) que, par pudeur, elle ne veut pas nommer, vit encore à Trézène.

Scène 4 : Intrigué, ébranlé, Thésée décide de faire subir à Œnone un second interrogatoire.

Scène 5 : C'est pour apprendre, tout aussitôt, qu'Œnone s'est suicidée en se jetant dans la « profonde mer » (v. 1466). Quant à Phèdre, lui dit-on, elle sombre dans la folie. De plus en plus troublé, Thésée regrette ses malédictions et supplie Neptune de ne pas exaucer l'imprudente et hâtive prière qu'il lui a faite, c'est-à-dire de tuer Hippolyte.

Scène 6 : Mais il est trop tard. Dans un long récit, Théramène vient relater à Thésée la mort d'Hippolyte. L'attelage que le jeune prince conduisait, épouvanté par un dragon sorti de la mer, s'est emballé, broyant son conducteur contre des rochers. Les dernières paroles du héros expirant, que rapporte Théramène, et la douleur d'Aricie achèvent de dessiller les yeux de Thésée.

Scène 7 : Survient Phèdre, que Thésée accueille avec soupçon et violence. Elle lui apprend qu'elle s'est empoisonnée et qu'avant de mourir elle veut lui dire toute la vérité. De fait, Phèdre confesse ses fautes, avoue ses remords, dénonce la « perfidie » d'Œnone. En proie à la plus vive douleur, Thésée expie sa crédulité. Il ordonne que l'on prépare pour son fils des funérailles solennelles, et il adopte Aricie.

Trois morts tragiques, un père et une fiancée à jamais désespérés : les dieux implacables sont satisfaits.

TABLEAU GÉNÉALOGIQUE : L'ÉTROITE PARENTÉ DES PERSONNAGES

Une étroite parenté unit les personnages de Phèdre. Aussi ne peut-on comprendre leurs réactions et apprécier leur rôle sans d'abord connaître les liens qui existent entre eux. À un degré ou à un autre, par les mariages qu'ils ont eux-mêmes contractés ou par les unions (légitimes ou non) de leurs ascendants, tous les personnages appartiennent en effet à une seule, vaste et ancienne famille. Le tableau suivant qui retrace la généalogie, succincte, des protagonistes permettra de s'en rendre compte.

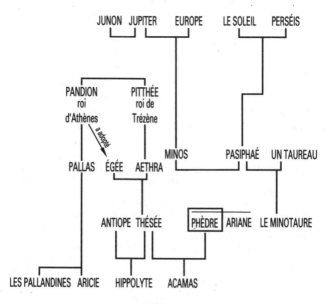

Une lecture verticale de ce tableau indique assez les liens familiaux qui unissent les personnages entre eux. Si, par sa mère Pasiphaé, Phèdre remonte au Soleil, elle remonte aussi, par son père Minos, à Jupiter dont descend, après plusieurs générations, Thésée lui-même. Par l'adoption de son père, Egée, par Pandion, Thésée appartient en outre à la même famille qu'Aricie.

Une lecture horizontale permet par ailleurs d'observer la tendance endogamique[1] des personnages qui choisissent pour époux ou pour épouse des êtres avec lesquels ils ont en commun un ascendant, plus ou moins lointain. Pénétrer dans l'intimité de cette famille tragique, c'est donc entrer dans un clan étroit, sur lequel pèse une lourde hérédité, en raison des liens qui unissent les personnages depuis une ou plusieurs générations.

■■■■ PHÈDRE

● **Selon la légende :** Phèdre, la brillante[2], est une princesse crétoise. Elle est la petite-fille (par sa mère Pasiphaé) du Soleil et la fille de Minos, roi de Crète, dont la grande sagesse lui valut après sa mort d'être désigné comme juge aux Enfers. Elle est surtout la descendante d'une race maudite. Depuis que le Soleil, son grand-père, a révélé, en les éclairant de ses rayons, les amours illégitimes de Mars et de Vénus[3], cette dernière poursuit d'une haine implacable la lignée de son dénonciateur. Pour se venger, Vénus a d'abord rendu Pasiphaé (la mère de Phèdre) amoureuse d'un taureau, dont la malheureuse eut un enfant monstrueux : le Minotaure[4]. Après avoir désespéré la mère, Vénus s'est

---

1. Sociologiquement, l'endogamie désigne l'obligation pour les membres de certaines tribus de se marier dans leur propre tribu ; et, biologiquement, un mode de reproduction entre individus apparentés.
2. Le nom de Phèdre vient de l'adjectif grec : *phaidra*, brillant.
3. Ces amours sont illégitimes parce que Vénus, déesse de la Beauté et de l'Amour, était mariée au dieu Vulcain. Mars, son amant, était le dieu de la Guerre.
4. Le personnage légendaire du Minotaure avait un corps d'homme et une tête de taureau. Pour cacher la honte de la famille, Minos fit construire, par l'ingénieur Dédale, le Labyrinthe, dans lequel le monstre fut enfermé, ce qui le rendit furieux.

attachée à perdre la fille : elle alluma dans le cœur de Phèdre une passion fatale pour son beau-fils, Hippolyte ; cette passion conduit Phèdre à se suicider.

● **Chez Racine :** Phèdre est une femme amoureuse, apeurée, jalouse, pénitente.

Tout en reprenant les informations que lui apportait la légende, Racine insiste surtout sur la passion dévorante de Phèdre pour Hippolyte. Le dramaturge en fait un personnage multiforme qui évolue de scène en scène, et dans chaque scène, au gré de son amour. Le lever du rideau nous la dévoile malade (I, 3). Son mal est si pernicieux qu'elle étouffe dans le palais et qu'elle éprouve le besoin de revoir le ciel et le soleil une dernière fois car, déjà, elle veut mourir. Perdue dans son cauchemar, elle divague, mais ses hallucinations, en apparence incohérentes, obéissent à une logique interne : elles se cristallisent autour d'Hippolyte. La nouvelle (fausse et vite démentie) de la mort de Thésée la ranime (I, 5) : toujours hallucinée, mais délivrée de l'obsession de l'infidélité et du remords, elle se délecte à la pensée d'un amour permis. En présence de son bien-aimé, sous le charme, elle s'égare, s'offre. Rejetée, humiliée, elle songe de nouveau à mourir (II, 5).

À partir de cet instant, elle est perdue, parce qu'elle ne peut plus se leurrer. Pourtant une autre Phèdre se révèle : elle devient une femme obstinée qui espère contre tout espoir, qui cherche à flatter l'ambition d'Hippolyte et qui entreprend de circonvenir celui-ci par Œnone interposée (III, 1).

Mais voici son mari Thésée de retour. On découvre alors plusieurs visages de Phèdre. Mesurant l'ignominie de son comportement et la gravité de ses actes, Phèdre s'épouvante (III, 3) à l'idée que Thésée puisse découvrir la vérité. Puis, dans un sursaut de dignité, elle s'apprête à innocenter Hippolyte en dénonçant à son mari la calomnie d'Œnone (IV, 4). La nourrice a en effet fait croire à Thésée que c'est Hippolyte qui ose aimer Phèdre. Mais Phèdre apprend qu'Hippolyte aime Aricie. Elle devient alors jalouse. Ce sentiment se développe en elle avec une rapidité inouïe, et achève sa destruction physique et psychique. Phèdre touche le fond de la détresse, car elle n'a même plus pour se consoler l'alibi de savoir Hippolyte indifférent aux femmes. La révélation de l'amour du jeune prince pour Aricie montre à Phèdre que c'est elle-même, et non l'amour, qu'Hippolyte fuit. L'image du couple heureux paraît intolérable à la solitaire qui se durcit contre la pitié. La catastrophe s'avère dès lors inévitable puisqu'il n'existe plus d'issue : l'existence lui devient un supplice lentement dispensé.

Enfin, après avoir absorbé du poison, Phèdre recouvre *in extremis* sa lucidité, sous le coup d'un désespoir sans nom. Elle fait le bilan du drame et reconnaît devant Thésée sa responsabilité. Phèdre meurt ainsi purifiée et réhabilitée par cet acte de courage, qui prend une valeur exemplaire.

▬▬▬ THÉSÉE

● **Selon la légende :** Thésée est le mari de Phèdre et le fils d'Égée, roi d'Athènes. Elevé à Trézène (voir la carte, p. 9) par sa mère et son grand-père, il ignora toutefois longtemps qui était son père. Quand il l'apprend, à l'âge de seize ans, il part aussitôt pour Athènes. Là, il se fait reconnaître d'Égée et il massacre ses cousins, les Pallantides, qui prétendaient succéder à Égée, puisqu'ils le croyaient sans héritier. Quelques années plus tard, vient le moment où Athènes doit fournir aux Crétois le tribut de sept jeunes gens et sept jeunes filles destiné à la pâture du Minotaure (ce tribut avait été imposé par Minos aux Athéniens pour venger le meurtre d'un de ses fils). Thésée résolut de faire partie du contingent afin de tuer le monstre. Il y réussit avec l'aide d'Ariane (sœur de Phèdre) qui lui confia une pelote de fil pour qu'il retrouve la sortie du Labyrinthe. Après une brève passion, Thésée abandonne Ariane. Devenu roi d'Athènes à la mort de son père, Thésée enlève et épouse Antiope, reine des Amazones, dont il a un fils, Hippolyte. Après la mort d'Antiope, il épouse Phèdre.

● **Chez Racine :** Thésée est un don Juan, un héros fatigué, un époux tendre et un père désespéré.

Être complexe, Thésée offre plusieurs visages, tantôt simultanément, tantôt successivement. Conformément à la légende, c'est d'abord et depuis toujours un don Juan. Il eut maintes aventures dans sa jeunesse (v. 85-89). Il a séduit, puis abandonné Hélène, Péribée, Ariane, et « tant d'autres ». Certes, en vieillissant, devenu le mari de Phèdre, Thésée est revenu de ses « jeunes erreurs » (v. 23). Mais, à en croire Ismène qui se fait l'écho des bruits qui circulent, on le soupçonne de nouvelles galanteries. On rapporte (v. 381-382) qu'il a trouvé la mort en tentant d'enlever une femme.

Pourtant le volage Thésée n'est ni odieux ni ridicule. Son héroïsme excuse ses faiblesses amoureuses. C'est qu'il est aussi un héros admiré de toute la Grèce, presque le successeur d'Hercule. Justicier et redresseur de torts, il a purgé l'univers des bandits et des créatures monstrueuses qui l'infestaient (v. 75 à 82). C'est pour le remercier d'avoir ainsi pacifié la Grèce que les dieux lui ont permis de s'échapper des « cavernes sombres » où le tyran de l'Épire le retenait prisonnier[1] ; et c'est pourquoi Neptune (dieu de la Mer) lui a promis d'exaucer le premier des vœux qu'il formulerait (v. 1068) ; ce sera, tragiquement, le souhait de voir Hippolyte mort.

Mais quand Thésée paraît sur scène (III, 4), le héros est fatigué, tout au bonheur de retrouver sa femme après l'épuisante expédition qui l'a conduit dans les régions voisines de l'Enfer. L'époux n'aspire plus qu'à vivre des joies familiales.

Ses espérances sont vite déçues. Œnone lui apprend que, pendant son absence, Hippolyte a voulu attenter à l'honneur de Phèdre.

Thésée, faisant trop facilement confiance aux propos mensongers d'Œnone, perd alors toute lucidité. En lui, le père se désespère d'avoir un fils si criminel (v. 1165-1166). La protestation d'innocence d'Hippolyte ne parvient pas à le convaincre (IV, 2). Son entrevue avec Aricie (V, 2 et 3) ne désarme pas ses doutes. Et il est trop tard quand il apprend à la fois le suicide d'Œnone et la volonté de mourir de Phèdre : Neptune a déjà exaucé sa malédiction. Thésée se transforme dès lors en père accablé ; il adopte Aricie parce qu'elle est celle que son fils a le plus aimée. Le roi d'Athènes, qu'il est, oublie les inimitiés politiques. La pièce s'achève sur l'image d'un père écrasé, mais digne dans son malheur.

Pourquoi, en effet, Neptune a-t-il immédiatement exaucé sa terrible prière ? Pourquoi les dieux l'ont-ils rendu si crédule ? Thésée est seul et amer. Il ne lui reste plus qu'à haïr la

---

1. Ce tyran retenait Thésée prisonnier parce qu'il avait tenté, pour aider son ami Pirithoüs, d'enlever la femme de ce tyran (III, 5, vers 961-969).

protection divine qui s'est révélée si fatale, qu'à affronter sa solitude sans chercher de consolation dans la prière (v. 1612 à 1614). L'homme portera jusqu'à sa mort son cruel fardeau. De même que ses exploits l'avaient hissé au-dessus de l'humaine condition, de même son malheur dépasse la commune mesure.

▬▬▬ HIPPOLYTE

● **Selon la légende :** Hippolyte est né d'une mère amazone[1]. Aimant passionnément la chasse, il s'est voué au culte de la chaste Diane, déesse vierge de la Chasse. Mais c'est surtout sa mort dramatique qui l'a rendu célèbre. Après avoir repoussé avec indignation les avances de Phèdre, sa belle-mère, il se voit faussement accusé d'avoir tenté de la violer. Scandalisé, Thésée appelle sur son fils la colère de Neptune, dieu de la Mer, qui, pour remercier Thésée d'avoir débarrassé les mers des brigands qui les infestaient, lui avait promis de réaliser le premier de ses voeux. Neptune envoie un dragon au-devant du char du jeune homme : les chevaux s'emballent, Hippolyte tombe et est déchiqueté.

● **Chez Racine :** Hippolyte est un chasseur chaste, un fils complexe, un amoureux honteux et un héros calomnié.
Il conserve son goût de la chasse. Ses plaisirs se résument à traquer le gibier, à dompter des chevaux sauvages, à conduire des chars sur le bord de la mer (v. 130-132). Hippolyte nourrit pour son père une vive admiration, teintée toutefois de regrets et de secrètes humiliations. En Thésée, il n'aime que l'homme des exploits ; mais « fils inconnu d'un si glorieux père » (v. 945), il souffre de n'avoir encore accompli aucune grande action. En revanche, le donjuanisme de Thésée le blesse au point qu'il ne veut pas en entendre parler (v. 91 à 95). Peut-être d'ailleurs son indifférence envers les femmes s'explique-t-elle par l'image de ce père volage qu'il cherche à oublier.

---

1. Les amazones étaient un peuple légendaire d'Asie Mineure, composé exclusivement de femmes guerrières. Elles tuaient, disait-on, les hommes après les avoir aimés. Antiope, mère d'Hippolyte, fut obligée de quitter son peuple pour s'être attachée à Thésée.

Aussi n'est-il pas étonnant que son amour pour Aricie lui semble un châtiment que les dieux lui infligent. Hippolyte ne se comprend plus. Lui qui se croyait au-dessus de tout attachement, exempt de toute faiblesse, constate avec amertume qu'il n'est qu'un homme comme les autres, sujet aux lois de l'amour (v. 531-536).

Hippolyte juge sa passion pour Aricie d'autant plus inexcusable qu'à l'inverse de son père il n'a réalisé aucun exploit qui pourrait compenser cette faiblesse. Politiquement, en outre, son amour est une faute : Aricie est la dernière femme qu'il devrait aimer. Aricie est en effet la descendante d'une famille qui a naguère régné sur Athènes et que Thésée a dépossédée du trône. Thésée a donc ordonné qu'aucun homme n'épouse Aricie de crainte qu'elle n'ait un jour des enfants et que ces enfants ne réclament le trône qui leur est dû. « J'appelle faiblesse, écrit Racine dans sa préface, la passion qu'Hippolyte ressent malgré lui pour Aricie, qui est la fille et la sœur des ennemis mortels de son père. »

C'est pourquoi, honteux de cet amour qui le déchire mais qu'il ne parvient pas à vaincre, Hippolyte cherche à partir de Trézène. « Fuir » (ou tout autre verbe de sens équivalent) est un mot qui revient souvent dans sa bouche. « Je pars », dit-il à Théramène, dès le début de la pièce (v. 1). Il s'exclame encore, après avoir entendu l'aveu de Phèdre : « Théramène, fuyons » (v. 717). Plus tard, il demandera encore à son père de le laisser quitter Trézène (v. 925-926).

Pourtant Hippolyte possède d'évidentes qualités. Il témoigne d'un sens aigu de la justice quand il propose à Aricie un partage politique équitable (en se réservant le trône de Trézène et en accordant celui d'Athènes à la jeune princesse), qui ne lèserait pas même les droits du fils de Phèdre (Acamas règnerait sur la Crète). Quand Phèdre lui avoue sa passion, s'il est plein de répulsion pour elle, il refuse de la frapper (II, 6), et il refusera par la suite de lui parler. Lorsque son père l'accuse injustement, il se défend avec dignité et, voué à la mort, il ne dénonce point la coupable. L'amour filial le lui interdit. Même pour se justifier d'une injuste calomnie lancée contre lui par Œnone, il ne peut accuser Phèdre qui, si elle est sa belle-mère, est d'abord la femme de son père.

Héros calomnié, Hippolyte témoigne dans l'adversité d'une grandeur d'âme conforme à son illustre naissance. Fils et petit-fils de roi, il proclame avec fierté qu'il n'a jusqu'ici commis aucun crime (v. 1091-1100). Son passé sans tache devrait plaider en sa faveur et convaincre Thésée qu'il n'a pu commettre un forfait aussi monstrueux que celui dont on l'accuse.

Son obéissance et sa noblesse d'âme ne lui évitent pourtant pas un destin affreux. Exauçant aussitôt la malédiction que Thésée a lancée contre lui, Neptune envoie au-devant du jeune prince un dragon. Ses derniers mots, rapportés par Théramène, sont pour recommander Aricie à la bonté de son père. Fidèle à la promesse qu'il avait faite de se taire, quoi qu'il puisse lui en coûter, Hippolyte meurt sans voir Aricie adoptée par Thésée. Il demeure l'exemple du héros calomnié qui fit trop tragiquement confiance aux divinités. Les dieux, pensait-il, le justifieraient et ne permettraient pas la mort d'un innocent (v. 1351-1352). Sa foi dans la justice divine le perd.

■■■■■■ ARICIE

● **Selon la légende :** Aricie compte Jupiter et Junon parmi ses ancêtres. Elle est la fille de Pallas (encore appelé Pallante), frère par adoption d'Égée. Aricie est donc la cousine, issue de germaine (enfants de cousins), de Thésée. La légende ne lui assigne aucun rôle particulier et précis.

● **Chez Racine :** Aricie est essentiellement une jeune fille amoureuse. Force est de reconnaître qu'elle apparaît bien pâle à côté des autres personnages. La postérité n'a pas souvent été tendre à son égard. Seul Jean-Louis Barrault s'est efforcé de la réhabiliter : « C'est une vierge, écrit-il, qui annonce un rare tempérament de femme. Toutes ses nuances, évidemment, sont teintées de l'enthousiasme mais aussi de la gravité de la jeunesse. Ce qui caractérise un être jeune, c'est son sérieux en toutes choses et surtout vis-à-vis des choses qu'elle imagine[1]. »

D'Aricie, on sait en effet qu'elle est « jeune » (v. 50) et « aimable » (v. 53). Elle représente le double féminin d'Hip-

---

1. J.-L. Barrault, *Phèdre*, coll. « Mises en scène », Le Seuil, 1946.

polyte puisque, « de tout temps à l'amour opposée » (v. 433), elle est enfin vaincue par lui.

Comme Hippolyte, elle ne manque pas de courage. Peu à peu, au cours de la pièce, son caractère s'affirme. Elle tient tête à Thésée, son geôlier, se rebelle devant l'injustice (v. 1584). En dépit de sa position de captive (elle ne peut quitter Trézène), elle aime les situations sans équivoque. Elle accepte l'enlèvement que lui propose Hippolyte (V, 1), à condition qu'il aboutisse au mariage. Si elle ne manque pas de coquetterie quand Hippolyte est en vie (v. 509 à 518), sa douleur et sa sincérité éclatent quand, sans un mot, elle contemple le cadavre de son fiancé et s'évanouit (v. 1584 à 1586). Avec Hippolyte, elle forme un couple à jamais indissociable, pour qui l'amour et la mort ont joué un jeu cruel.

◼◼◼◼◼◼ ŒNONE

● **Selon la légende :** Œnone est une ancienne esclave qui a élevé Phèdre à qui elle reste affectivement attachée.

● **Chez Racine :** Œnone est une femme dévouée, maternelle et maudite.

On ne peut comprendre Œnone sans avoir une claire conscience des liens qui l'attachent à sa maîtresse. « Confidente » de Phèdre, elle fut surtout sa « nourrice », et elle entoure Phèdre de son affection depuis que celle-ci est née. Elle est en un sens sa seconde mère, elle la considère comme sa propre fille. Aussi Œnone lui est-elle charnellement dévouée. Quand elle se voit affectivement repoussée par Phèdre qui s'obstine à lui taire son lourd secret, Œnone, accablée, songe aussitôt à se suicider. Elle qui a tout quitté pour Phèdre, ne peut supporter l'idée d'être ainsi rejetée.

Tous ses efforts tendent à redonner à Phèdre le goût de vivre. D'abord, elle développe avec une étonnante logique les arguments, maternels et politiques, qui, après l'annonce de la mort de Thésée, peuvent rendre espoir à la reine (I, 5). Elle se fait ensuite entremetteuse (III, 1) ; elle devient enfin calomniatrice d'Hippolyte, mais toujours par amour pour Phèdre. Elle juge sa dénonciation moins comme une faute morale que comme l'ultime, le seul moyen de sauver Phèdre du déshonneur, donc de la mort (v. 886-887).

Pour prix de son absolu dévouement et de son total sacrifice, Œnone se voit maudite : « Va-t'en, monstre exécrable » (v. 1317). Il ne lui reste plus, dès lors, qu'à disparaître, en clamant moins son remords que son acceptation de l'inéluctable (v. 1327-1328). Puisqu'elle n'a su éviter à Phèdre la honte, elle considère mériter son châtiment. Œnone aurait pu, en effet, tout accepter, tout supporter sauf d'être exilée loin de Phèdre.

« J'ai cru que la calomnie, écrit Racine dans la préface de sa pièce, avait quelque chose de trop bas et de trop noir pour la mettre dans la bouche d'une princesse [Phèdre] qui a, d'ailleurs, des sentiments si nobles et si vertueux[1]. Cette bassesse m'a paru plus convenable à une nourrice, qui pouvait avoir des intentions plus serviles, et qui néanmoins n'entreprend cette fausse accusation que pour sauver la vie et l'honneur de sa maîtresse. » Aussi choquant que cela puisse paraître à un spectateur moderne, le XVIIe siècle admettait volontiers que le « sang » d'un roturier, à plus forte raison d'une ancienne esclave ou d'une simple « domestique », était différent du sang noble et ne comportait pas de « semences » (comme l'on disait alors) de générosité et d'honneur, que seule une haute naissance procurait. Il n'en demeure pas moins que, sur le plan de la technique théâtrale, Racine reporte sur la nourrice la causalité et la responsabilité des malheurs de Phèdre. Sa lucidité, son affection absolue pour l'enfant qu'elle a portée dans ses bras, la cruauté de son destin rendent toutefois son souvenir moins odieux.

---

1. Sur le caractère « moral » du personnage de Phèdre, voir p. 54.

4 Sources et originalité de Racine

L'originalité de Racine ne peut se comprendre qu'en comparant *Phèdre* avec les tragédies que plusieurs dramaturges avaient auparavant composéme thème.

■■■ LES SOURCES LITTÉRAIRES

Euripide

« Le sujet est pris d'Euripide », affirme Racine dans la préface de sa pièce. Le poète grec Euripide (480-406 av. J.-C.) avait en effet traité ce drame, en 436 avant notre ère, dans *Hippolyte porte-couronne*. Comme l'indique le titre, Hippolyte y est le personnage principal. Considérant que la femme (en général) est un « fléau », il fait preuve envers Phèdre d'une grossièreté qui aujourd'hui nous scandalise. Quant à Phèdre, elle apparaît comme une mère attentionnée, une épouse consciente de ses devoirs, qui voue à Thésée une estime sincère. La passion qu'elle éprouve pour Hippolyte résulte, comme on l'a vu (p. 18-19), de la vengeance divine. En effet, Vénus (la déesse de l'Amour) déteste à la fois Phèdre et Hippolyte qu'elle juge trop chaste et trop misogyne. Si Phèdre se suicide (sans jamais avoir avoué sa passion à son beau-fils), c'est par souci de sa gloire et par crainte d'être la proie d'insupportables médisances. Aussi Euripide ne l'accable-t-il pas, même s'il ne l'excuse pas expressément.

En fait, il s'agit moins, chez Euripide, d'un drame d'amour que du conflit de deux déesses qui s'affrontent par êtres humains interposés : d'un côté, Vénus cherche à imposer son joug à tous les mortels ; de l'autre, Diane (déesse de la Virginité) tente vainement de protéger Hippolyte. Victimes irresponsables, les personnages sont des jouets entre les mains de deux déesses injustes et vindicatives. C'est pourquoi

Euripide évite toute confrontation directe entre les différents protagonistes, ce qui aurait eu pour conséquence de ramener la tragédie à un niveau humain.

Sénèque

Racine avait un second modèle antique dans la *Phaedra* du Latin Sénèque (4 avant J.-C.-65 après J.-C.) qui, par rapport à Euripide, apporte d'importantes modifications au sujet. Diane et Vénus disparaissent, la présence des Dieux se réduit à l'intervention de Neptune. La tragédie perd ainsi son caractère mystique et sacré, s'avère plus humaine. Hippolyte n'est plus qu'un second rôle ; il cesse d'être un fidèle de Diane pour devenir une sorte de philosophe stoïcien[1]. Phèdre, surtout, change de caractère. Haïssant Thésée qui lui est infidèle, elle excuse son « crime » par les trahisons de son mari et elle ne se préoccupe guère de son propre fils (Acamas). Phèdre, en effet, avoue, contre le gré de sa nourrice, sa passion à Hippolyte qui, saisi d'horreur, appelle la colère de Jupiter sur la coupable. Il maudit Phèdre, tire son épée pour la tuer, puis se ravise et s'enfuit en laissant tomber son épée. Tandis qu'après le départ d'Hippolyte se répand la rumeur de cette violente scène, Phèdre ramasse l'épée et va dénoncer Hippolyte à Thésée. Ce dernier croit d'autant plus facilement le récit de sa femme qu'il voit l'arme de son fils entre les mains de Phèdre. Ce n'est que lorsqu'elle apprend la mort d'Hippolyte que Phèdre avoue la vérité et se suicide. Même si elle a éprouvé des scrupules, des hésitations, son geste meurtrier est toutefois celui du désespoir, non du remords. L'être aimé disparu, Phèdre n'a plus de raison de vivre. Sénèque désacralise ainsi le sujet et lui donne déjà une profonde résonance humaine et passionnelle.

Garnier, Gilbert, Bidar

Plus près de Racine, en 1573, le Français Robert Garnier avait, lui aussi, composé un *Hippolyte* : sa pièce suit celle de Sénèque quant aux modalités de l'intrigue, à une différence

---

1. Le stoïcisme, dont Sénèque fut l'un des plus brillants philosophes, soutient que le bonheur réside dans la vertu et professe une hautaine indifférence devant tous les malheurs de l'existence.

près toutefois : renouant avec la tradition euripidienne, il fait d'Hippolyte le personnage principal de son œuvre. Avec *Hippolyte ou le Garçon insensible* (1646) de Gabriel Gilbert, le sujet subit, en revanche, de grandes altérations : Phèdre n'est plus que la fiancée de Thésée, et Hippolyte devient sensible aux charmes de Phèdre, qui lui offre et sa main et le trône de Crète à partager avec elle. Ce que le jeune homme refuse par crainte de son père. Il n'est plus question d'adultère, d'inceste, de vengeance divine. Seule une série de malentendus provoque le dénouement tragique. Il en va de même dans l'*Hippolyte* (1675) de Mathieu Bidar, qui abandonne l'idée de l'amour incestueux pour ne conserver que la jalousie comme seul ressort de l'action. Avec ces deux dramaturges, c'en est fini de l'atmosphère antique et mythologique. La légende, édulcorée, avait perdu sa cruelle et perverse beauté.

■■■ L'ORIGINALITÉ DE RACINE

Parler de l'originalité de la *Phèdre* de Racine peut de prime abord surprendre. Une comparaison, même rapide, de la pièce avec celles qui l'ont précédée montre en effet que le dramaturge a, au contraire, beaucoup emprunté à ses prédécesseurs, lointains ou immédiats[1].

Les emprunts

À Euripide, Racine doit l'essentiel de son intrigue : la reine brûlant d'amour pour son beau-fils, avouant sa passion quand elle croit Thésée mort, l'intervention de Neptune, le suicide de l'héroïne. Il lui est en outre redevable du caractère même de Phèdre et de deux scènes : celle où Œnone arrache à sa maîtresse le secret du mal qui la consume (I, 3), et celle où

---

1. La notion de plagiat n'existait pas au XVIIe siècle. Outre qu'un sujet de tragédie devait presque obligatoirement appartenir à des épisodes historiques ou légendaires célèbres, les emprunts à l'Antiquité étaient considérés comme un hommage rendu aux dramaturges gréco-latins.

s'affrontent le père et le fils après l'accusation portée contre le jeune prince (IV, 2).

Racine se comporte également comme un imitateur de Sénèque, en faisant de Phèdre une épouse et une mère, en lui redonnant la place centrale dans sa tragédie. Deux scènes sont, en outre, directement inspirées de la *Phaedra* latine : la déclaration d'amour à Hippolyte (II, 5) et la confession de la reine sur le point de mourir (V, 7).

Si l'on ajoute que Racine a trouvé l'idée du personnage d'Aricie chez Ovide et chez Virgile ; celle du récit de Théramène chez Ovide, Sénèque et Euripide ; qu'il a enfin emprunté quantité de détails à ses devanciers français, son originalité peut apparaître douteuse.

Les éléments nouveaux

L'originalité de Racine se manifeste sur plusieurs plans : dans les modifications de l'intrigue ; dans une disposition nouvelle des événements.

Racine modifie l'intrigue sur trois points d'importance. D'abord, Aricie devient une « princesse », héritière potentielle du trône d'Athènes, ce qu'elle n'avait jusqu'alors jamais été. Cette élévation sociale du personnage permet au dramaturge de nouer inextricablement tragédie d'amour et tragédie politique (voir pp. 42-44). Ensuite, Racine invente les amours malheureuses d'Aricie et d'Hippolyte. Enfin, Œnone se voit dotée d'un rôle majeur, dans la mesure où elle joue les entremetteuses entre Phèdre et Hippolyte et où elle calomnie Hippolyte.

L'originalité de Racine réside par ailleurs dans une nouvelle disposition des éléments anciens de l'intrigue.

Jamais, avant Racine, le drame n'avait été aussi harmonieusement agencé autour de deux personnages dont l'un, Thésée, détermine la marche des événements, et l'autre, Phèdre, détermine l'action psychologique.

C'est Thésée qui, par son absence, puis par son retour soudain, rend la tragédie possible. Il est au centre de l'intrigue qui s'ordonne autour de lui. Absent, il rend possibles les aveux aux confidents, Hippolyte avouant à Théramène son amour pour Aricie (I, 1), Phèdre avouant à Œnone son amour pour Hippolyte. La fausse nouvelle de sa mort (I, 4) fait progresser l'histoire : les amoureux, sachant leur passion licite, se déclarent (II, 2), Hippolyte et Aricie se jurant une affection mutuelle, Phèdre scandalisant Hippolyte par sa fureur amoureuse (II, 5).

Avec le retour de Thésée, l'éclairage psychologique change radicalement. Lâchetés et erreurs se succèdent. Phèdre laisse Œnone calomnier Hippolyte (IV, 1). Thésée maudit son fils (IV, 2) et le livre à Neptune. Un nouveau revirement se produit quand ses yeux sont dessillés : il accable son épouse, réhabilite son fils, adopte Aricie (V, 7).

Ainsi la marche des événements est-elle commandée par l'absence et le retour du héros. Ce retour, Racine le place, par un coup de maître, en cours d'acte, ce qui accroît l'effet théâtral et laisse à Phèdre moins de temps et de liberté pour décider ce qu'elle doit désormais faire.

Incidents et coups de théâtre concourent à un seul but : assurer la progression psychologique, la connaissance complète des âmes, révéler graduellement Phèdre. Avec la disparition de Thésée, Phèdre sort de sa retraite, se meurt d'amour pour Hippolyte (I, 3). Se croyant veuve, elle se déclare au jeune homme. L'époux revenu, c'en est fait de ses espoirs (III, 3). Passive, elle laisse agir Œnone. La malédiction de Thésée qui frappe Hippolyte rend un instant à Phèdre le sens de l'honneur et le sentiment du remords. Mais une réflexion de son époux qui lui apprend qu'Hippolyte aime Aricie (v. 1187), déchaîne sa rage jalouse. Apprenant la mort de sa nourrice, puis celle d'Hippolyte (V, 7), mesurant sa responsabilité, elle se repent et se tue.

Tous ces différents épisodes révèlent la personnalité de Phèdre, fixent les images de l'amoureuse prostrée, exaltée, angoissée, repentante. L'évolution de la folie amoureuse de Phèdre détermine donc la démarche tragique. Elle efface les invraisemblances mythologiques, donne à l'ensemble rythme et cohérence. Là se trouve la grande originalité de Racine. L'histoire dramatique de Phèdre et d'Hippolyte s'éclaire d'une sombre et implacable lumière, que la poésie de Racine (voir pp. 58-65) colore du plus pur éclat.

5 La passion amoureuse

Le XVIIe siècle ne concevait pas de tragédie sans amour.

Phèdre en fournit l'exemple le plus éclatant. L'amour y est le moteur essentiel de l'action : Thésée aime Phèdre qui aime Hippolyte, qui aime Aricie. De cet enchaînement naît le drame. Souffrant qu'on ne réponde pas à leur attente, les personnages ne supportent pas que l'autre soit heureux sans eux.

L'originalité de la peinture racinienne de l'amour consiste à renouer, en l'approfondissant, avec la tradition baroque. Cette tradition qui s'était surtout développée sous les règnes de Henri IV et de Louis XIII, dans le premier tiers environ du XVIIe siècle, se caractérisait par une grande liberté d'expression et par le paroxysme des sentiments. Or, chez Racine, l'amour, malgré le carcan que les bienséances imposaient à sa représentation sur scène, est toujours une force irrationnelle, plus puissante que la raison. L'amour est frappé d'interdit et conduit fatalement à la mort.

■■■■■ L'AMOUR : UNE FORCE IRRATIONNELLE ET IRRÉSISTIBLE

La passion racinienne éclate comme un coup de foudre. Elle naît brusquement. Sa genèse et son développement sont immédiats. Un seul regard suffit : voir, c'est aimer. Un trouble physique s'ensuit aussitôt :

> Je le vis, je rougis, je pâlis à sa vue ;
> Un trouble s'éleva dans mon âme éperdue ;
> Mes yeux ne voyaient plus, je ne pouvais parler ;
> Je sentis tout mon corps et transir et brûler.

(v. 273-276),

précise Phèdre. L'amour se présente ainsi comme un sentiment inexpliqué et inexplicable, comme une force incontrôlable. Rien ne le justifie. Il est à lui-même sa propre valeur et sa propre raison. Il atteint, sitôt né, sa plus grande intensité :

> C'est Vénus tout entière à sa proie attachée.
>
> (v. 306),

reconnaît Phèdre.

Devant cette irruption soudaine et violente de la passion, la raison ne peut lutter. Dévorante, l'image de l'être aimé s'impose partout à celui qui aime. Phèdre a tenté de fuir Hippolyte, d'étouffer en elle cette passion qui la scandalise la première. En vain. Elle a d'abord cherché à apaiser Vénus (la déesse de l'Amour) en lui offrant de nombreux sacrifices. Constatant que les divinités restaient sourdes à ses prières, elle a ensuite recouru à des moyens plus humains, plus ordinaires. Phèdre a décidé d'éviter Hippolyte. Mais quand elle voyait Thésée, elle retrouvait sur le visage du père les traits du fils. Affectant enfin la haine traditionnelle qu'au théâtre une belle-mère (une « marâtre ») éprouve pour son beau-fils, Phèdre a obtenu de son mari l'exil d'Hippolyte (v. 292-294). « Je respirais », dit-elle à Œnone (v. 297). Cette absence de l'être aimé, espérait-elle, favoriserait l'oubli, la guérison. Mais cet exil auquel elle a contraint le jeune homme ne lui est en définitive d'aucun secours. Ignorant tout des véritables motivations de sa femme, Thésée a lui-même ordonné et provoqué les retrouvailles de Phèdre et d'Hippolyte à Trézène (v. 302-303).

Ce qui est vrai de Phèdre amoureuse d'Hippolyte l'est aussi d'Hippolyte amoureux d'Aricie. La passion se développe chez le prince avec la même rapidité et la même intensité. Lui aussi a cherché à fuir Aricie : « Si je la haïssais, je ne la fuirais pas », dit-il à Théramène (v. 56). Au fond des forêts, sur les bords de la mer où il recherchait la solitude, le souvenir d'Aricie l'a partout poursuivi (v. 543-545).

Le champ lexical traduit d'ailleurs la torture morale des personnages qui ne peuvent se délivrer de la pensée obsédante de l'être aimé. Ce ne sont que « flamme », « feu », « ardeur », « égarement », « fers », « fureur », « joug », etc. Certes, Racine n'invente pas ce vocabulaire, qu'il emprunte à la langue galante et précieuse de son temps. Mais le fait qu'il le choisisse est significatif de sa conception de la passion : l'amour est un asservissement, un tourment, une torture.

■■■■■ L'AMOUR : UNE FORCE DESTRUCTRICE

On comprend que, dans ces conditions, rien ne peut s'opposer aux ravages de l'amour. Quels que soient ses efforts, Phèdre est condamnée à courir de défaite en défaite. Avant que se lève le rideau, la malheureuse a déjà tout tenté pour combattre cette passion qui l'horrifie la première.

Du moins, pense-t-elle, à défaut de guérir, cacher au monde son terrible secret. Car parler, ce n'est pas seulement le rendre public, encourir le risque de l'humiliation, du scandale, c'est glisser un peu plus avant dans la déchéance, c'est reconnaître officiellement son mal et donc, d'une certaine façon, l'admettre, y consentir. Aussi Phèdre préfère-t-elle disparaître plutôt que de parler : « Je meurs, pour ne point faire un aveu si funeste », dit-elle à Œnone (v. 226).

Cette héroïque résolution de s'enfermer dans le silence ne sauve pourtant pas Phèdre. Sa passion est si forte qu'elle ne peut la taire. C'est pourquoi la pièce est aussi une tragédie de la parole, d'une parole qu'il ne faudrait pas prononcer et qui sera pourtant formulée.

Par trois fois, en effet, Phèdre se voit contrainte de parler. Chacun de ses aveux constitue une étape vers la déchéance et le suicide. L'inquiétude d'Œnone, d'autant plus émouvante que celle-ci lui voue un amour quasi maternel, lui arrache un premier aveu. Phèdre ne peut soutenir les « larmes » de sa nourrice et elle lui confie qu'elle a pour Hippolyte « toutes les fureurs » de l'amour (I, 3). Mais Phèdre espère encore que cette confidence restera secrète, elle songe d'ailleurs toujours à mourir (v. 312-316).

Vaine espérance et faux remède ! Venue trouver Hippolyte pour l'entretenir des conséquences politiques de la (supposée) mort de Thésée, Phèdre se trouble, cède au vertige du cœur et des sens, et glisse, malgré elle, une seconde fois, jusqu'à l'aveu (II, 5). Lors de ce second aveu, sa passion, jusqu'alors refoulée, ruse avec les mots, joue avec les situations et les transpose. Elle commence d'abord par déclarer qu'elle

« brûle » (= aime) pour Thésée, mais c'est aussitôt pour dépeindre Thésée sous des traits différents de ceux qu'il possède dans la réalité. Thésée cesse d'être volage pour devenir fidèle, « fier, et même un peu farouche » (v. 638). Ainsi, par un renversement de situation, ce n'est plus le fils qui ressemble à son père, mais le père qui ressemble à son fils. À ce stade, Phèdre lutte encore contre elle-même. Sa raison, sa volonté, son sens des convenances lui interdisent de nommer clairement Hippolyte, mais son cœur, déjà, ne se complaît que dans l'image d'Hippolyte. Au portrait qu'elle brosse de celui-ci, il ne manque que le nom.

De moins en moins maîtresse d'elle-même, Phèdre entreprend ensuite de reconstruire le passé (v. 647-654). Poursuivant la substitution du père par le fils, elle a imaginé qu'Hippolyte a jadis pris la place de Thésée et qu'il a tué le Minotaure. Elle-même se substitue à sa sœur Ariane qui aida Thésée à sortir du Labyrinthe (en lui donnant une pelote de fil qui lui permit de baliser sa route et de retrouver l'issue du dédale). L'emploi systématique des verbes au conditionnel passé seconde forme (« eût armé », v. 652 ; « eût (...) inspiré », v. 654 ; « eût coûtés », v. 657, etc.) traduit cette reconstruction, par Phèdre, d'un passé souhaité, mais qui ne s'est pas produit. Phèdre se laisse aller à son rêve, à sa passion et croit progressivement à leur réalité. Tant qu'elle parle, tant qu'Hippolyte ne lui a pas répondu, elle conserve l'espoir d'être aimée. Ce sont et ce seront ses seuls instants de bonheur, des instants imaginaires, qui expriment, de manière à peine voilée, son amour profond pour Hippolyte. Le jeune prince ne s'y trompe d'ailleurs pas : « Dieux ! qu'est-ce que j'entends ? » (v. 663). Il n'ose en croire ses propres oreilles. L'étonnement le dispute chez lui à l'indignation. Comme il feint d'avoir mal interprété les propos de Phèdre (v. 667-670), celle-ci se déclare enfin explicitement (v. 671-699). Ainsi Phèdre connaît-elle un second revers. Sa volonté n'a pas été assez puissante pour dissimuler son « fol amour » (v. 675). Consciente de sa faiblesse et de ses paroles monstrueuses, elle implore Hippolyte de la tuer (v. 700-704). Ce serait pour elle le seul moyen d'échapper au scandale (si Hippolyte venait à révéler à tous l'indigne comportement de sa belle-mère) et de se racheter à ses propres yeux.

Enfin, après qu'Œnone, par sa calomnie, a causé la mort d'Hippolyte, Phèdre qui a déjà absorbé du poison, se livre à un troisième aveu. Elle avoue la vérité à Thésée (V, 7) dans un ultime sursaut de remords et de dignité, qui consacrera sa défaite. L'amour qu'elle n'a pu empêcher de naître, a triomphé de son désir de se taire à tout prix.

■■■■ AMOUR ET JALOUSIE

Dans cette course à l'abîme, la jalousie joue un rôle essentiel. Le thème en soi n'était pas nouveau. Les prédécesseurs immédiats de Racine l'avaient déjà orchestré[1]. Mais c'est un des traits du génie de Racine que d'avoir su lui donner son efficacité dramatique maximale.

Il l'introduit d'abord tardivement dans l'intrigue comme un surcroît, inattendu pour Phèdre, de douleur et d'humiliation, alors qu'elle croyait avoir touché le fond du désespoir et de la honte. C'est en effet Thésée en personne (dont le retour a renforcé sa décision de se suicider) qui lui apprend l'amour réciproque d'Hippolyte et d'Aricie (IV, 2). À la confusion d'être repoussée s'ajoute soudain pour Phèdre la torture de se savoir dédaignée pour une autre (v. 1218).

Accablée par ce nouveau tourment, Phèdre songe au pire : « Il faut perdre Aricie » (v. 1259). La honte l'arrêtera. Elle chassera Œnone. Il ne lui restera plus qu'à mourir. La jalousie concourt ainsi à précipiter la tragédie.

Les souffrances qu'elle engendre sont en outre d'autant plus fortes que les personnages raciniens possèdent une imagination suffisante pour se représenter l'intolérable, le bonheur de ceux qui s'aiment, quand, eux, ne sont pas aimés. Avec quelle précision Phèdre n'évoque-t-elle pas l'amour partagé d'Hippolyte et d'Aricie ! C'est comme si elle assistait à leurs rencontres (v. 1252-1256). Elle les imagine, elle les voit se moquer d'elle, mener une existence heureuse, se jurer mille serments de fidélité, courir et rire dans la lumière du jour, tandis qu'elle souffre et se désespère ! Phèdre devient son propre bourreau, se complaisant dans des images qui la blessent. La jalousie aggrave ses souffrances. Ni sa passion, méprisée, ni son orgueil, humilié, ne peuvent le supporter.

---

1. Voir p. 27-29.

Fatalité et culpabilité

La force irrationnelle et dévastatrice de la passion racinienne permet de comprendre comment l'amour, une fois né dans le cœur de Phèdre, y exerce d'irrépressibles ravages. Mais cette force n'explique pas vraiment pourquoi il y naît, pourquoi l'épouse de Thésée tombe précisément amoureuse de son beau-fils. La jeunesse, l'air « charmant » d'Hippolyte sont des explications à la fois suffisantes et insuffisantes. Suffisantes pour provoquer le trouble de Phèdre. Mais insuffisantes si l'on considère que cet amour n'est pas ordinaire, que l'ombre de l'inceste plane sur lui. Aussi la peinture racinienne de l'amour possède-t-elle une autre caractéristique, inhérente non au sentiment lui-même, mais à la manière dont il est vécu : Phèdre ressent sa passion comme fatale.

◼◼◼◼ FATALITÉ ET HÉRÉDITÉ

Racine renoue, par-delà ses prédécesseurs immédiats, avec l'envoûtement des légendes grecques dont il a découvert, notamment dans *Andromaque* et *Iphigénie*, les virtualités tragiques. Si l'on a souvent dit que *Phèdre* est une tragédie grecque, c'est d'abord parce qu'elle respecte scrupuleusement les données légendaires du drame, dont Racine a su tirer les plus grands effets d'intensité.

Son héroïne, conformément à la plus pure tradition antique, est « engagée par sa destinée et par la colère des dieux dans une passion illégitime dont elle a horreur toute la première », écrit Racine dans la préface de sa pièce. Son comportement dès lors s'éclaire. Phèdre se qualifie elle-même de « monstre » (v. 703), c'est-à-dire qu'elle se considère comme la descendante malheureuse et effrayante d'une lignée dont les actes ont été répréhensibles.

Phèdre est en effet la fille de Pasiphaé, une créature dépravée qui fut l'amante d'un taureau et la mère du Minotaure. Elle est aussi la sœur d'Ariane. Or Ariane, qui était une Crétoise, avait donné par amour au Grec Thésée une pelote de fil pour qu'il puisse, après avoir tué le Minotaure, retrouver la sortie du Labyrinthe. Comme la Crète et la Grèce étaient alors en guerre, Ariane a donc trahi sa patrie (le Grec Thésée étant un ennemi) et sa famille, puisqu'en aidant Thésée à tuer le Minotaure, elle l'a aidé à tuer son propre frère. Phèdre connaît ce sombre passé. Elle se sait victime de la vengeance de Vénus qui, pour punir le Soleil d'avoir éclairé ses amours illégitimes avec le dieu Mars, s'acharne à perdre les enfants du Soleil : Pasiphaé d'abord ; Ariane ensuite ; Phèdre enfin.

Le destin prend ainsi la forme de l'hérédité, de l'atavisme. Les concepts d'hérédité, de parenté hantent d'ailleurs Phèdre. À plusieurs reprises, elle parle de son aïeul le Soleil (voir, par exemple, les vers 169-172 et 1274-1275), et elle fait souvent allusion à sa race. D'autres fois, Phèdre use du mot « sang » (au sens d'« ancêtres », d'« hérédité »). L'emploi du mot « sang » ne relève pas du lieu commun. Littéralement les traces de l'hérédité se trouvent dans le sang. Le mot traduit une détermination biologique, donc inéluctable. Il est trente-sept fois employé dans la pièce, presque toujours par Phèdre, et toujours sur un ton plaintif (voir les vers 257-258).

Ainsi, par une géniale ambivalence des mots et par une étonnante rencontre de la mythologie et de la biologie, le spectateur n'a nul besoin, pour comprendre Phèdre, de se faire une âme athénienne. Il ne lui est même pas nécessaire de croire à un châtiment divin réservé à la démesure orgueilleuse. Il lui suffit de considérer que l'hérédité, qu'elle porte en elle, pousse Phèdre à la plus fatale des passions.

Phèdre renferme donc un aspect à la fois très grec et très moderne d'une certaine vision dramatique, riche en virtualités tragiques et pathétiques. C'est d'ailleurs pourquoi Racine a choisi de mettre en scène Phèdre de préférence à sa mère Pasiphaé, pourtant plus célèbre qu'elle dans la mythologie grecque. Victime de son instinct dénaturé et du cercle familial, Phèdre pose, plus que sa mère, le problème de la responsabilité et de la culpabilité.

■■■■ LA CULPABILITÉ
DE PHÈDRE

La question de savoir si Phèdre est coupable doit s'examiner sous deux angles différents : d'un côté, Phèdre est-elle au regard de la société objectivement coupable ? de l'autre, est-elle subjectivement coupable, se juge-t-elle coupable ?

● **Phèdre est objectivement innocente.** Il est évident qu'il ne s'agit pas ici de traduire Phèdre devant un tribunal imaginaire. Outre que juger Phèdre en tant que créature mythique ou dramatique serait absurde, ce genre de considérations personnelles (que tout lecteur est par ailleurs libre de formuler pour lui-même) ne favorise guère une meilleure compréhension de la pièce.

À supposer même que l'on juge objectivement Phèdre, son innocence éclaterait vite. Juridiquement et moralement, en effet, il n'y a faute que s'il y a liberté d'action ou du moins absence de forte contrainte. Or la vengeance de Vénus, qui se confond avec la fatalité, met la reine dans l'impossibilité d'agir autrement qu'elle ne fait. Une mortelle ne peut se soustraire aux forces divines. Phèdre n'est pas plus responsable de la haine de Vénus qu'on ne l'est de son apparence physique, des maladies ou des infirmités dont on souffre. Elle a par ailleurs tout tenté, tout essayé, fût-ce au prix d'un injuste exil d'Hippolyte, pour échapper à la malédiction qui l'accable. Elle fait tous ses efforts, souligne Racine dans sa préface, pour surmonter sa passion. Elle parvient même, à force de volonté, à retrouver une certaine paix :

> Je respirais, Œnone ; et depuis son absence,
> Mes jours moins agités coulaient dans l'innocence.
> (v. 297-298).

Est-ce sa faute si, par une tragique ironie du sort, Thésée ramène Phèdre à Trézène et lui fait revoir l'« ennemi » qu'elle avait éloigné (v. 302-303) ?

Reprochera-t-on alors à Phèdre d'avouer à Œnone qu'elle aime Hippolyte ? Mais, affaiblie par le jeûne (v. 153-156), elle ne peut supporter les plaintes et les larmes de sa nourrice qui la supplie de parler (v. 311-312). Quand elle se décide à aborder Hippolyte (II, 5), ce n'est pas dans l'intention avouée de l'entretenir de sa passion, mais pour défendre les droits politiques de son fils Acamas. L'aveu qu'elle fera pourtant viendra de son égarement, du trouble qu'elle ne pourra surmonter.

Reste l'accusation majeure : celle d'une passion incestueuse. Depuis l'Antiquité, les lois civiles et religieuses condamnent sans appel l'inceste. Mais, contrairement à la légende d'Œdipe où celui-ci épouse (sans le savoir) sa propre mère, il n'y a pas d'inceste dans la pièce, lequel suppose, au sens strict, des relations sexuelles entre un homme et une femme parents très proches ou alliés. Cet inceste n'existe ni en action, ni en pensée. Quand Phèdre, malgré elle, se déclare en effet, elle a tout lieu de se croire veuve. Or cette (supposée) disparition de Thésée atténue, par le fait même, tout lien d'alliance entre elle et Hippolyte.

Ainsi, dans les circonstances précises où elle s'épanouit, la passion de Phèdre pour Hippolyte ne choque pas vraiment les convenances. Comment d'ailleurs ne pas comprendre cette passion ? Reine et Grecque des anciens âges, Phèdre a vécu sous les voûtes obscures du gynécée (appartement réservé aux femmes dans les maisons grecques et romaines). Elle aperçoit un jour Hippolyte beau, radieux de jeunesse, hautain, farouche, vivante image d'un Thésée jeune, qu'elle n'a point connu, dont les rides et les infidélités s'effacent. Le Thésée qu'elle a épousé était déjà âgé. Délaissée, trompée, comment Phèdre ne ressentirait-elle pas quelque penchant pour ce jeune prince qui incarne à ses yeux le renouveau, la fraîcheur, la beauté, le plaisir amoureux ? S'associer à son destin, quelle évasion ! Son désir, parce que tardif, se charge d'intensité. Les spectateurs du XVIIe siècle n'étaient pas assez puritains pour s'indigner d'une telle passion.

● **Phèdre se juge coupable.** En fait, la question n'est pas de savoir si Phèdre est *objectivement* coupable et incestueuse (il est évident qu'elle ne l'est pas). Une seule chose compte : Phèdre se reconnaît *subjectivement* coupable.

Certes Racine précise dans sa préface que son héroïne « n'est ni tout à fait coupable ni tout à fait innocente », ce qui revient à admettre qu'elle n'est pas sans responsabilité dans le drame. Mais, à ce moment, Racine souhaitait se rapprocher de ses anciens maîtres jansénistes et avait alors besoin de faire une déclaration quelque peu moralisante (voir p. 9-10). En réalité, la mise en question de l'amour se situe sur un plan plus profond : dans toutes les pièces de Racine, à la seule exception d'*Alexandre*, l'amour tombe sous le coup d'une interdiction.

Phèdre s'éprouve coupable : elle ne cesse elle-même de le proclamer. Dès sa première apparition sur scène, elle s'accuse de trop prolonger la « coupable durée » (v. 217) de son existence, elle conçoit sa passion comme un « crime » pour lequel elle ressent une « juste terreur » (v. 307). La honte l'habite en permanence ; elle supplie Hippolyte de la tuer :

> Crois-moi, ce monstre affreux ne doit point t'échapper.
> Voilà mon coeur. C'est là que ta main doit frapper.
>
> (v. 704-705).

Après le retour de Thésée et la calomnie d'Œnone, le sentiment de culpabilité de Phèdre s'accroît encore. Elle n'a point de mots assez durs ni assez violents pour se condamner :

> Mes crimes désormais ont comblé la mesure.
> Je respire à la fois l'inceste et l'imposture.
> Mes homicides mains, promptes à me venger,
> Dans le sang innocent brûlent de se plonger.
> Misérable ! et je vis ? [...]
>
> (v.1269-1273).

C'est ce sentiment (autant que le remords d'avoir provoqué la mort d'Hippolyte) qui la conduit à se suicider.

Phèdre se sent ainsi coupable et d'aimer et, en continuant à vivre, de rester la proie privilégiée de la fatalité. « Triste rebut de la nature entière », elle se juge souillée (v. 1241). C'est pourquoi Phèdre est une femme vouée par la colère de Vénus à aimer malgré elle, dans la honte et la haine de sa propre passion.

.7 La politique
dans Phèdre

La fascination que l'on éprouve pour Phèdre, ses déchirements intérieurs et son tragique destin, fait que l'on oublie trop souvent l'intrigue politique de la pièce. À tort. Car toute tragédie est par essence politique, et parce que la rumeur de la mort de Thésée ouvre une crise dynastique. La compréhension de cette crise éclaire davantage encore les mobiles passionnels des personnages.

■■■■ LA CRISE DYNASTIQUE

Le thème politique se justifie d'autant mieux dans la pièce que l'action se déroule dans le cadre d'une monarchie héréditaire, ce qui place au premier plan les droits de la naissance que les personnages portent avec eux. Or, comme l'indique le tableau généalogique (reproduit p. 17), les protagonistes de la pièce non seulement appartiennent à une même et vaste famille par le jeu des adoptions et des descendances, mais ils peuvent encore tous prétendre succéder à Thésée.

La mort du roi ouvre une crise dynastique complexe. Bien que l'action se déroule dans la seule ville de Trézène, Thésée était trois fois roi et laisse donc trois trônes vacants : celui de Trézène qu'il détenait en droite ligne de son père ; celui de Crète, par suite de son mariage avec Phèdre, dont le père était roi de l'île ; celui, enfin, d'Athènes, que Thésée occupait illégalement, son père ayant été jadis adopté par Pandion II, roi d'Athènes, et ayant chassé les héritiers légitimes (les Pallantides), dont Aricie est précisément la sœur.

Dès sa première apparition sur scène, Aricie ne manque d'ailleurs pas de rappeler qu'elle est une princesse injustement écartée du trône d'Athènes (v. 421-422).

C'est ce qui motive l'interdiction que Thésée (un usurpateur à ses yeux) fait peser sur elle. Il a ordonné qu'Aricie ne se marie jamais (v. 106). Thésée redoute que, si Aricie se mariait, elle n'engendre des enfants qui sauraient plus tard faire valoir leurs droits sur le trône d'Athènes.

Aussi les rivalités politiques se déchaînent-elles dès que circule la rumeur de la mort du roi. Athènes se divise aussitôt en deux clans : les uns souhaitent avoir pour souverain Acamas (le fils de Phèdre et de Thésée) ; d'autres soutiennent Hippolyte (fils de Thésée et de l'amazone Antiope) ; certains, même, rêvent de voir Aricie devenir reine et prendre la place légitime de ses aïeux (v. 325-330).

À ces ambitions, Hippolyte préfère un généreux partage : il compte se réserver Trézène, propose Athènes à Aricie et laisse la Crète au fils de Phèdre (v. 477-508). Il n'a pas le temps d'en dire davantage, ni de rendre son projet public. Théramène lui annonce presque aussitôt qu'à Athènes les partisans de Phèdre viennent de triompher, et qu'ils ont imposé Acamas comme nouveau souverain. Le retour de Thésée rendra caduques toutes ces ambitions prématurées et ramènera l'ordre dans les trois royaumes.

▆▆▆▆ AMOUR ET POLITIQUE

Que la crise dynastique se dénoue d'elle-même par la réapparition de Thésée et qu'elle n'ait aucune conséquence sur le plan politique, n'implique pas qu'elle soit sans effet sur le drame passionnel que vivent les protagonistes de la pièce. Elle influe bien au contraire sur son déroulement.

Ces querelles et rivalités politiques expliquent d'abord qu'Hippolyte ait honte d'aimer Aricie. Sur son amour pèse l'interdit paternel, puisque Aricie et ses descendants pourraient disputer à Thésée le trône d'Athènes. De même qu'Hippolyte est le seul homme qui ne doit pas aimer Aricie, de même Aricie est la seule femme qui ne doit pas aimer Hippolyte ; et celui-ci le sait. Il rappelle à Théramène que Thésée a donné des ordres très stricts, que nul ne doit enfreindre (v. 102 à 111).

C'est pourquoi Hippolyte ne se résout qu'*in extremis* à avouer à son père sa passion pour Aricie : il ne l'avoue que pour se disculper de la calomnie qu'Œnone fait peser sur lui. La nourrice de Phèdre vient de l'accuser d'avoir voulu tuer

Phèdre. Mais, quoi qu'Hippolyte puisse dire pour se défendre, Thésée ne le croit pas : comment admettrait-il que son fils ait, en aimant Aricie, bravé sa terrible loi ?

L'ouverture de la crise dynastique précipite également le malheur de Phèdre. Sitôt la nouvelle de la mort de Thésée connue, Œnone lui suggère de s'allier à Hippolyte pour écarter Aricie du trône d'Athènes :

> Unissez-vous tous deux pour combattre Aricie.
>
> (v. 362).

Sans ce conseil d'Œnone, sans cette nécessité pour Phèdre d'assurer un avenir politique à son fils Acamas, la reine n'accepterait pas de rencontrer Hippolyte ; or de cette entrevue naîtra l'aveu fatal.

On peut enfin mesurer la douleur de Thésée, après la mort de son fils et les révélations de Phèdre, à la protection dont il entend désormais entourer Aricie. Il adopte la princesse (v. 1649-1654). Accablé, Thésée oublie plusieurs décennies de haines et de rivalités politiques, comme si le pouvoir avait perdu tout charme. Le roi cède la place à l'homme désespéré, éternellement seul avec ses souvenirs.

La crise dynastique qui éclate dans *Phèdre* ne constitue donc pas un aspect négligeable de la pièce, ni une concession aux lois de la tragédie classique. Elle découle logiquement des événements, elle accélère la crise passionnelle. L'amour et la politique sont en fait indissociables.

La dramaturgie[1]

La tragédie classique appartient à un genre littéraire fortement codifié. Des théoriciens du théâtre (tels que Boileau dans son *Art poétique*) ne cessaient de rappeler les règles auxquelles elle devait se plier et qui, pour l'essentiel, remontaient à la *Poétique* d'Aristote[2]. Ces règles (qui s'imposèrent après 1640) Racine les a scrupuleusement respectées, même s'il affirme dans sa préface de *Bérénice* que « la principale règle est de plaire et de toucher ». Comme leur nombre interdit de toutes les détailler, on se limitera à l'examen des trois plus importantes : les unités de temps, de lieu et d'action. Quant à la question des bienséances, elle s'avère si capitale, à propos de *Phèdre*, qu'on l'étudiera à part, dans le chapitre suivant.

Pour bien comprendre leur portée, il importe toutefois de préciser au préalable ce qui justifiait ces règles et à quoi elles tendaient et servaient.

LA DOCTRINE DE L'IMITATION

Ne voyons pas en effet dans ces règles l'expression d'un caprice ou d'une bizarrerie de l'époque qui auraient contraint les dramaturges à les observer. Elles découlaient logiquement de l'idée que l'on se faisait de la tragédie, alors conçue comme l'« imitation d'une action ». Autrement dit, la tragédie devait être vraisemblable et offrir au spectateur l'illusion qu'il

---

1. On désigne sous le nom de dramaturgie l'ensemble des procédés, des « règles » qu'utilise un auteur pour construire une pièce de théâtre.
2. Le philosophe grec avait exposé dans cet ouvrage les principales lois de la tragédie. Comme le XVIIe siècle tenait la tragédie grecque pour un modèle presque inégalable, les dramaturges respectaient les règles édictées par Aristote.

n'assistait pas à la représentation d'une œuvre de fiction, mais au déroulement sur scène d'une action que l'autorité de la légende ou de l'histoire prétendait véridique.

Cette vraisemblance s'exerçait en gros dans deux directions : le dramaturge ne pouvait pas (ou pas trop) modifier ses sources ; et rien, jusque dans la composition et la structure de la tragédie, ne devait choquer le spectateur[1]. Les règles concouraient donc à faire naître un certain plaisir : celui de se croire le témoin privilégié d'une aventure tragique. Si leur respect ne procura jamais du génie, les auteurs de génie, à l'instar de Racine, surent les utiliser pour donner plus de force et de pathétique à leurs œuvres.

▉▉▉▉▉ LE TEMPS

En conséquence de cette théorie de l'imitation, les dramaturges s'efforçaient de rapprocher les deux temps inhérents à toute représentation : la durée objective du spectacle (deux heures et demie à trois heures pour une tragédie) et la durée supposée de l'action. Idéalement, ces deux durées auraient dû coïncider. Mais comme c'était rarement réalisable, on avait fini par admettre que la longueur de l'action représentée ne devait pas excéder vingt-quatre heures. Au-delà, pensait-on, se produisait entre temps réel et temps fictif un trop grand décalage, préjudiciable à la vraisemblance (le spectateur ne pouvant croire qu'en trois heures de spectacle on lui présente des événements censés de dérouler sur deux ou plusieurs jours). L'unité de temps apparaissait comme nécessaire à la crédibilité de l'œuvre jouée et, partant, à l'intérêt qu'elle devait susciter.

Force est de constater que Racine l'observe strictement dans *Phèdre*. La décision d'Hippolyte de partir à la recherche de son père (I, 1), l'aveu de Phèdre à Œnone (I, 3), la rumeur de la mort de Thésée et le souci de Phèdre de défendre les intérêts politiques de son fils (I, 4 et 5) exigent peu de temps, une heure ou deux. Sur le plan de l'action, le second acte ne s'enchaîne pas directement sur le premier. Les

---

1. Étant entendu que la vraisemblance est une notion relative et que ce qui passait pour vraisemblable à l'époque ne le serait plus aujourd'hui.

théoriciens admettaient que des événements soient censés se produire durant un entracte, mais non entre deux scènes à l'intérieur d'un acte. L'arrivée du messager annonçant qu'Athènes s'est déclarée en faveur d'Acamas (II, 6) implique en effet qu'entre les deux actes s'écoule un laps de temps suffisant pour qu'Athènes réagisse à la (fausse) mort de Thésée et pour que le messager puisse gagner Trézène : quelques heures au total. Mais, pour le reste, l'entrevue d'Hippolyte et d'Aricie (II, 2), la venue et l'aveu de Phèdre (II, 3 à 5), la surprise d'Hippolyte (II, 6) n'exigent pas plus de temps qu'il n'en faut aux acteurs pour jouer l'acte. Durée fictive et durée réelle se confondent strictement. Il en va de même pour l'acte III. Un bref intervalle sépare les troisième et quatrième actes, puisque, lorsque débute l'acte IV, Œnone a déjà commencé de calomnier Hippolyte. Le dernier acte suit temporellement le précédent. Il faut toutefois admettre une accélération des événements entre la première et la sixième scènes : Hippolyte doit avoir la possibilité de quitter Trézène, d'être tué sur son char, et Théramène doit avoir celle de revenir au palais porter la triste nouvelle. Toute l'intrigue peut cependant se dérouler raisonnablement en moins de vingt-quatre heures.

■■■■■ LE LIEU

L'unité de lieu procède de la théorie de l'imitation et de l'unité de temps. La tragédie ne devait pas comporter de changements de lieu plus importants que les moyens de communication de l'époque ne permettaient d'en effectuer en un jour. En pratique, les déplacements devaient se limiter au cadre du palais (ou d'une ville) et de ses abords. Ce qui est le cas dans *Phèdre,* dont l'action se déroule à Trézène et, plus précisément, dans le palais de Thésée.

Il s'agit en fait d'un lieu assez conventionnel : une antichambre où successivement Hippolyte se déclare à Aricie et Phèdre à Hippolyte, où Œnone dénonce Hippolyte à Thésée, où Thésée appelle sur son fils la colère de Neptune. Mais ce lieu, Racine s'est efforcé, autant qu'il le pouvait, de le caractériser, de l'individualiser. Le palais est voisin d'un rivage, où Hippolyte faisait naguère « voler son char » (v. 130), et de forêts où retentissaient ses cris quand il chassait (v. 133) ; aux portes mêmes de la ville, près de la mer, s'élève un « temple sacré », redoutable aux « parjures » (v. 1392 à 1394). Le lieu unique de la tragédie comporte ainsi tout un arrière-plan.

■■■■ L'ACTION

L'unité d'action imposait que l'intérêt fût centré sur une seule intrigue. Ce qui ne signifie pas unicité de l'intrigue. « Ce qu'il fallait, c'est que les divers fils que pouvait comporter une intrigue fussent tissés de telle sorte que tout acte ou parole de l'un des personnages réagît sur le destin de tous les autres, et que chaque détail se subordonnât à l'action principale[1]. »

La pièce respecte cette exigence : la passion de Phèdre en constitue l'intrigue principale ; l'amour d'Aricie et d'Hippolyte, la crise dynastique en forment les intrigues secondaires. Mais entre l'intrigue principale et les intrigues secondaires existent d'étroits rapports. La crise dynastique, comme on l'a vu (p. 42-43), n'est pas sans conséquence sur la passion de Phèdre, et l'amour d'Hippolyte pour Aricie provoque la fatale jalousie de la reine.

Fénelon a pourtant contesté cette unité de l'intrigue : « Racine a fait un double spectacle en joignant à Phèdre furieuse, Hippolyte soupirant contre son vrai caractère. Il fallait laisser Phèdre toute seule dans sa fureur ; l'action aurait été unique, courte, vive, rapide[2] ... » Critique spécieuse : le couple Hippolyte-Aricie est indispensable pour satisfaire les délicats. Sa présence crée des concordances subtiles : elle s'oppose à la solitude de Phèdre, et sa saine pureté met en valeur la monstrueuse passion de la coupable. Ce parallélisme est sensible dans l'agencement des thèmes : le jeune homme révèle à son confident un amour normal, mais sans espoir (I, 1) ; Phèdre avoue à sa nourrice une passion incestueuse, impossible à satisfaire (I, 3). Hippolyte demande audience à Aricie sous prétexte de régler la succession de Thésée ;

---

1. J. Truchet, *La Tragédie classique en France*, P.U.F., 1975, p. 32.
2. Fénelon, *Lettre à l'Académie*, 1716. Dans la phrase citée, « soupirant » signifie : amoureux.

malgré lui, il lui parle d'amour (II, 2). Phèdre rencontre Hippolyte pour l'entretenir de problèmes politiques ; malgré elle, un aveu délirant lui échappe (II, 5). C'est l'image du couple Hippolyte-Aricie qui cause le désespoir de la reine (III, 3) et provoque ses insinuations calomnieuses (III, 4). Jusqu'à la fin, le rôle des deux femmes interfère, Aricie faisant une démarche pour sauver son amant (V, 3), Phèdre ayant agi de même (IV, 4), l'une et l'autre en vain. Si le spectateur assiste à la révélation de deux amours (un homme et deux femmes), il a le sentiment d'assister à un drame unique dont la jalousie fait l'unité. Tout ce qui est représenté ou rapporté sur scène pousse inéluctablement Phèdre au suicide.

Le récit de Théramène (v. 1498-1570), le plus long du théâtre classique, a lui aussi longtemps été critiqué. Dans la mesure en effet où la tragédie doit représenter (imiter, comme on disait à l'époque) une action, elle ne devait idéalement renfermer aucun récit, forme statique par nature. Comme c'était irréalisable en pratique, on avait fini par se résigner à admettre le récit, à la double condition toutefois qu'il se trouvât au début ou à la fin de la pièce, et qu'il fût justifié.

Le récit de Théramène satisfait à cette double contrainte. Comme les bienséances interdisaient de montrer sur scène la mort d'un personnage et comme il aurait été par ailleurs techniquement difficile d'y représenter un « monstre furieux » sortant des eaux et s'attaquant aux « superbes coursiers » tirant le char d'Hippolyte, il fallait bien que quelqu'un vînt relater cette fin cruelle. Mais, surtout, le récit de Théramène, outre sa valeur informative, fait partie intégrante de l'action. C'est un chant funèbre composé en l'honneur du héros exemplaire qu'est Hippolyte.

9 Langage et bienséances

« Voilà une grande fortune pour notre siècle de voir courir une femme après le fils de son mari et vouloir faire un inceste en plein théâtre », ironisait Pradon, le rival malheureux de Racine (voir p. 8 et 9). Il ne voulait pas voir que le mérite de Racine était d'avoir su accommoder un sujet délicat au goût du public. La décence et l'obligation de ne pas choquer le spectateur (ce qu'on appelait d'un terme général, les « bienséances ») exerçaient alors une véritable tyrannie. Non que les gens du XVIIe siècle fussent prudes ou prompts à se scandaliser. Mais, avant 1630, au cours de l'époque baroque, le théâtre avait connu de tels excès de brutalité et de grossièreté que s'était produite une très forte réaction. On pouvait continuer à mettre en scène tous les sujets à la condition de savoir dire les choses avec art et élégance.

> Il n'est point de serpent ni de monstres odieux
> Qui, par l'art imité, ne puisse plaire aux yeux,

soutiendra Boileau dans le chant III de son *Art poétique*. Dans ce contexte, le sujet de *Phèdre* s'avérait particulièrement difficile à traiter. Les bienséances avaient en effet adouci, affadi la légende antique. L'art de l'auteur fut assez subtil pour faire accepter au grand Arnauld lui-même, l'austère janséniste, les débordements de la malheureuse.

L'ÉLIMINATION DE LA BRUTALITÉ

Racine atténue la brutalité du drame : même en pleine crise, les personnages gardent leur dignité. Hippolyte reste courtois quand la reine l'accable de ses aveux et de ses menaces ; il ne tire plus l'épée pour la tuer, comme dans la *Phaedra* de Sénèque ; c'est la désespérée qui lui arrache son arme (II, 5). Devant son père, en parfait gentilhomme, il se tait (IV, 2). Phèdre, consciente de sa responsabilité, se ressaisit très vite ; seule une haine jalouse retarde sa pénitence (IV, 5). Thésée, une fois instruit, lui aussi se repent, cherche à réparer le mal qu'il a commis (V, 7). Surtout la cause de la catastrophe, c'est la vilenie d'une ancienne esclave, Œnone, que son âge et sa condition font dédaigner. Porter une accusation mensongère de viol serait indigne d'une héroïne. « Cette bassesse m'a paru plus convenable à une nourrice, qui pouvait avoir des inclinations plus serviles », dit Racine dans la préface.

Malgré leur désarroi, les protagonistes s'agitent peu ; ils s'affrontent, figés dans une attitude digne. Seuls leurs propos et le timbre de leur voix trahissent leur émotion. Le moment où la reine saisit l'épée du jeune homme et s'enfuit en courant (v. 705-710), constitue certes une exception. Mais l'excès de douleur justifie cet éclair d'inconvenance.

Enfin les épisodes sanglants ou macabres sont narrés, jamais présentés sur scène, en réaction contre le théâtre baroque qui, au début du siècle, avait trop représenté de morts horribles. Cet excès avait fini par devenir ridicule. Aussi Racine fait-il rapporter par Thésée la fin atroce de Pirithoüs (III, 5) ; Panope relate le suicide d'Œnone (V, 5) ; Théramène vient raconter l'accident tragique d'Hippolyte (V, 6). Quant à Phèdre, si elle boit le poison sur scène, elle va mourir dans les coulisses. Chez Sénèque, la pièce s'achevait sur le retour du corps démembré d'Hippolyte : « Quel est ce débris hideux et difforme, criblé de toutes parts de blessures ? Je l'ignore », s'exclamait douloureusement Thésée. Racine ne conserve que le désespoir du père, sans faire revenir sur scène le cadavre du fils.

■■■ UN LANGAGE SAVAMMENT CONTRÔLÉ

Ce qui confère une parfaite dignité aux paroles choquantes et aux déclarations les plus brûlantes, c'est par ailleurs la manière dont elles s'énoncent. La tragédie est dotée d'un langage technique, où se fondent et se confondent le langage de la Cour, et le langage de la galanterie.

En proie aux pires égarements, les personnages n'oublient jamais de se donner leur titre : « prince », « princesse »,

« madame », « seigneur » etc., créant ainsi un climat de majesté. Ils se servent en outre de mots qui ont pour fonction d'ennoblir : le « bruit » signifie la renommée, le « cœur », le courage, l'« objet », la femme aimée ; le « neveu » est le descendant, la « gloire », la réputation, le « travail », l'exploit... Quand Phèdre laisse échapper son secret, elle ne déclare pas directement son amour, ce qui aurait été inconcevable pour une reine. Elle imagine seulement à haute voix qu'Hippolyte serait descendu à la place de Thésée dans le Labyrinthe, qu'elle l'aurait donc aidé, aimé, épousé, au lieu et place de Thésée, qu'elle avait effectivement aidé, aimé, épousé (voir les vers 661-662).

Cette façon de s'exprimer convient au rang des héros qui l'emploient. Elle les place au-dessus de la commune humanité, sublime leurs sentiments, leurs actes et leurs rapports.

Si grands soient-ils, les personnages éprouvent pourtant de brûlantes et impudiques passions. Pour révéler leurs faiblesses, tout en conservant leur prestige, ils usent du langage de la galanterie en vogue à la Cour et à la Ville[1], et de rigueur dans l'univers tragique. Les substantifs possèdent une valeur d'atténuation, grâce à l'emploi constant de la litote (art d'exprimer le plus en disant le moins) ; ils éveillent de furtives images qui traduisent noblement d'érotiques confidences. Les unes évoquent un brasier : « feux », « flammes », « ardeur », « brûler », « fièvre »... ; d'autres soulignent la perte de la liberté : « liens », « captifs », « joug », « fers »[2]... La passion amoureuse, parvenue à son paroxysme, s'exprime en termes de « fureur », d'« égarements », de « trouble[3] ».

Certains mots retrouvent la vigueur de leur sens étymologique : « charme » (du latin *carmen*) est employé au sens d'incantation magique pour suggérer l'influence irrésistible de l'amour ; « horreur » (du latin *horror*) évoque une frayeur qui touche à la répulsion ; « fatal » (du latin *fatum*) relève du destin et marque l'impuissance de la volonté humaine devant les décisions de la fatalité ou des dieux ; « funeste » (du latin *funus* : funérailles) implique l'idée de mort.

---

1. L'expression classique « la Cour et la Ville » désignait, au XVIIe siècle, la Cour de Versailles et la haute bourgeoisie parisienne qui constituait le public éclairé de l'époque.
2. Voir, par exemple, les vers 60, 444, 762, 1303...
3. Voir, par exemple, les vers 189, 259, 422, 672, 741, 792, 853, 989, 1015...

D'autre mots, en apparence incolores, désignent les délices (comme l'expression « aimables transports ») et surtout les tourments de l'amour : « soins », « gêne » (torture), « chagrin », « tourment » (supplice), « affligé », « affreux », « étonné » (au sens de frappé comme par la foudre). Leur signification, affaiblie par l'usage, est revitalisée par le contexte.

Ce langage, friand de subtilités, se plaît à dégager la valeur poétique et symbolique de certains mots. Citons deux cas typiques. Le mot « chemin » (voir, par exemple, les vers 1220-1224) qualifie l'itinéraire sentimental que les personnages ont tant de mal à suivre. Le mot « monstre[1] » (du latin *monstrum* : créature anormale), par ailleurs, ne désigne pas seulement les brigands abattus par Thésée ; il suggère aussi l'inconcevable vilenie des âmes, ce qui permet à Aricie de tenir des propos d'une ambiguïté redoutable :

> [...] Vos invincibles mains
> Ont de monstres sans nombre affranchi les humains ;
> Mais tout n'est pas détruit, et vous en laissez vivre
> Un...

(v. 1443-1446).

Certes, il arrive à Racine de s'exprimer plus directement, mais c'est alors avec une grande retenue dans le vocabulaire. « Je t'en ai dit assez. Épargne-moi le reste » (v. 225), dit Phèdre à sa nourrice pour interrompre la suite de ses confidences. Et quand, comprenant à mi-mot, Œnone s'écrie : « Hippolyte ? Grands Dieux ! », sa maîtresse se borne à répondre : « C'est toi qui l'as nommé » (v. 264).

Cette simplicité du langage reste toutefois exceptionnelle. D'ordinaire, en effet, l'expression est plus noble comme il sied dans le monde de la tragédie. Elle adopte volontiers la forme d'une périphrase qui donne à la réalité ses lettres de noblesse. Ainsi l'équitation devient « l'art par Neptune inventé » ; Thésée est désigné comme le « successeur d'Alcide » (d'Hercule) ; Athènes est dénommée par « les superbes remparts que Minerve a bâtis » ; la Méditerranée centrale est « la mer qui vit tomber Icare[1] »... Le langage prend alors une teinte épique ; la scène, si familière soit-elle, se pare de grandeur.

---

1. Voir, par exemple, les vers 99, 520, 649, 701, 703, 884, 938, 948, 963, 970, 1045, 1317...

PHÈDRE, UN « CARACTÈRE RAISONNABLE » ?

C'est également en fonction de la dramaturgie et des bienséances qu'il convient d'interpréter les propos de Racine affirmant dans sa préface que le « caractère de Phèdre » est ce qu'il a « mis peut-être de plus raisonnable sur le théâtre ». La formule est en apparence paradoxale. Comment Racine peut-il en effet qualifier de « raisonnable » un être si fortement dominé par sa passion qu'il en oublie tous ses devoirs ?

En fait, la formule n'implique pas de jugement de valeur, et l'adjectif « raisonnable » ne possède pas ici le sens moderne de rationnel, d'intelligent ou d'acceptable. Ce que Racine veut dire, c'est que Phèdre agit conformément à ce qu'on peut attendre d'un personnage tragique placé dans la situation qui est la sienne. C'est donc à la raison de l'auteur et des spectateurs qu'il faut penser. Il y a raison parce que le dramaturge se plie aux règles principales de la tragédie, parce que Phèdre obéit à la logique interne de ses sentiments.

En empruntant son sujet à Euripide, Racine pratique clairement l'« imitation des Anciens », alors jugée indispensable et « raisonnable » : une des règles essentielles de la dramaturgie classique voulait que le sujet d'une tragédie appartînt à l'histoire ou aux légendes de l'Antiquité. Ce respect des bienséances donne par ailleurs de la passion de Phèdre une peinture nullement choquante. Raisonnable, Phèdre l'est enfin parce que, conformément aux préceptes aristotéliciens, elle « n'est ni tout à fait coupable, ni tout à fait innocente », ce que devait être tout héros (ou toute héroïne) de tragédie.

---

1. Fils de Dédale, enfermé avec lui dans le Labyrinthe par Minos, Icare s'en évada grâce aux ailes que son père avait fabriquées. Mais Icare vola si près du soleil que la cire attachant les ailes sur ses épaules fondit. Il tomba dans la mer qui, depuis, porte son nom.

10 Le tragique

Contrairement à une opinion trop souvent répandue, une tragédie n'est pas tragique parce qu'elle s'achève sur la mort d'un ou plusieurs personnages.

Le tragique naît d'abord, et singulièrement dans *Phèdre*, d'une atmosphère grandiose et inquiétique qui se dégage de la pièce, ainsi que de sa valeur purificatrice.

■■■■■ UNE ATMOSPHÈRE GRANDIOSE ET INQUIÉTANTE

« Les personnages tragiques doivent être regardés d'un autre œil que nous ne regardons d'ordinaire les personnages que nous avons vus de près », soutient Racine dans sa seconde préface de *Bajazet*. « On peut dire que le respect que l'on a pour les héros augmente à mesure qu'ils s'éloignent de nous. »

Ce « respect » est écrasant dans *Phèdre*. Racine nous conduit dans un univers primitif, habité par des forces obscures et inquiétantes. Tout ce qui vit ou a vécu revêt un aspect grandiose et redoutable. Celui-ci l'est d'autant plus que Racine transforme la contrainte de l'unité de lieu en une source supplémentaire de tragique. La géographie de *Phèdre* est en effet sombre et terrifiante. Le palais de Trézène est un vase clos où, insidieusement, les passions s'exaspèrent en silence. Les autres lieux auxquels il est fait allusion sont étouffants et inspirent la crainte : le Labyrinthe où Thésée tua le Minotaure, la prison qui retint Thésée captif (v. 965-968), les Enfers où siège Minos.

Des monstres tels que le Minotaure, des figures cruelles (les brigands tués par Thésée, v. 75-82), des morts dont le sanglant souvenir demeure pesant (les Pallantides assassinés par Thésée), rôdent en arrière-plan.

Les personnages, physiquement présents sur scène, possèdent, quant à eux, des motifs de se détester. Aricie, prisonnière de Thésée, déchue de ses droits au trône, déteste le tyran qui, naguère, égorgea ses frères, les Pallantides. Hippolyte, pour sa part, est l'ennemi naturel de Phèdre qui succéda à sa mère (Antiope) et dont le fils (Acamas) est son rival politique. Les persécutions que la reine lui inflige ne peuvent qu'attiser cette aversion. Phèdre voit enfin en Aricie une rivale auprès d'Hippolyte.

Par ailleurs, les puissances invisibles sont toujours présentes. Elles commandent les principales péripéties de l'action. Vénus, pour se venger du Soleil (voir p. 18), a provoqué l'amour de Phèdre pour Hippolyte ! Neptune, sans se soucier de l'innocence du jeune prince, exécute les volontés de Thésée. La divinité se montre cruelle, inhumaine, se plaisant à séduire les mortels et à leur sourire pour mieux les perdre. Chaque immortel semble ainsi assouvir une vengeance particulière. Si le Soleil se contente de rougir en voyant les débordements de sa petite-fille (v. 171-172), en revanche, Neptune et Vénus s'acharnent sur la famille de Thésée.

Dans ce cadre terrifiant évoluent des personnages impuissants à réagir, à arrêter la machine infernale préparée par Vénus. La réapparition de Thésée, la calomnie d'Œnone, le dragon lancé contre Hippolyte sont autant d'incidents qui accélèrent le drame. Mais, même sans eux, Phèdre aurait été perdue. Ses premiers mots (avant que se multiplient les péripéties) sont en effet pour annoncer sa décision de mourir. « Soleil, je te viens voir pour la dernière fois » (v. 172), dit-elle, déjà exténuée par son jeûne (jeûne qui a commencé avant que débute la pièce). Le spectateur, saisi par l'angoisse, se prend d'emblée de sympathie pour ces personnages. Le tragique suscite alors l'émotion et engendre la pitié pour les victimes.

UNE PUISSANCE PATHÉTIQUE

Il y a en effet dans cette pièce de touchantes victimes. Aricie est vouée au veuvage éternel à l'instant où le destin semblait lui sourire. Hippolyte, le martyr, assume le rôle de victime expiatoire et meurt en héros. Plein de confiance dans l'équité des Dieux, il est tué par Neptune. La dernière séquence du drame est particulièrement pitoyable : Aricie pleure sur le corps déchiqueté de son amant, tandis que Thésée ordonne que l'on prépare les funérailles de son fils.

Thésée lui-même, l'impulsif, l'implacable, est moins cruel que malheureux. S'il est coupable, il est surtout un mari déçu et un père crucifié. Son désir de paix, d'embourgeoisement, la douleur que lui cause la calomnie d'Œnone, rendent sa chute plus affreuse. La violence, la rapidité de ses malédictions témoignent de sa profonde souffrance. Rongé par le doute, il assiste, impuissant, à la disparition des siens, étreint par une angoisse peut-être aussi terrible que celle d'Œdipe[1] devant une vérité atroce. On peut imaginer le supplice qu'il endure pendant que Théramène raconte lentement, avec une inconsciente cruauté, la mort d'Hippolyte. Thésée est émouvant car il est en proie au repentir et au remords. À la fin, lui, le vainqueur du Minotaure, n'est plus qu'un homme accablé, pieux gardien du souvenir d'un mort.

Quant à Phèdre, « ni tout à fait coupable, ni tout à fait innocente », parfois prostrée, parfois ivre d'amour, toujours infiniment malheureuse, elle se sent méprisée par l'être qu'elle adore. Incapable de vivre sans l'amour d'Hippolyte, hantée par la terreur d'un châtiment éternel, elle parcourt tout le cycle des souffrances humaines. Sa nature n'est pas perverse. Phèdre a même le sens du rachat, du repentir. Quand, pour la dernière fois, elle entre en scène, déjà frappée à mort, et qu'elle confesse ses fautes, elle est intégralement pitoyable et même digne d'admiration, par sa recherche désespérée de la vertu, malgré l'hostilité divine qui s'incarne en la Fatalité. Avant de mourir, elle a un sursaut de dignité, acte gratuit et d'autant plus méritoire. Qui pourrait refuser à la fille de Minos la compassion que méritent les infortunes sans mesure ?

▬▬ VERTU PURIFICATRICE

Selon Aristote, la tragédie remplissait une fonction morale, qu'il définissait sous le nom de *catharsis* et que le XVIIᵉ siècle

---

1. Œdipe, héros de Sophocle, découvre brusquement qu'il a, sans le savoir, tué son père et épousé sa mère.

appelait la « purgation des passions ». Le spectateur était censé se purifier de ses tentations en voyant à quelle catastrophe elles aboutissaient sur scène. Or, si la régularité (la construction classique) de la pièce satisfait les théoriciens du genre, les moralistes trouvent, eux aussi, leur compte à ce spectacle dont l'auteur vante, dans sa préface, la valeur édifiante : « Je n'en ai point fait où la vertu soit plus mise en jour que dans celle-ci. Les moindres fautes y sont sévèrement punies. La seule pensée du crime y est regardée avec autant d'horreur que le crime même. Les faiblesses de l'amour y passent pour de vraies faiblesses [...], et le vice y est partout avec des couleurs qui en font connaître et haïr la difformité. »

Tous les personnages expient leurs fautes et l'aveuglement auquel les ont conduits leur passion, leur désobéissance ou leur intérêt. Œnone, en calomniant Hippolyte, choisit l'injustice pour sauver Phèdre. La reine, en aimant Hippolyte, oublie ses devoirs d'épouse et de mère. Même l'amour si frais, si jeune, d'Hippolyte et d'Aricie est répréhensible, car il enfreint les ordres formels de Thésée. Tous sont punis. Phèdre et sa nourrice périssent déshonorées. Les autres personnages sont condamnés à la séparation et à la solitude : solitude de la mort pour Hippolyte dont les mérites reçoivent en compensation l'honneur de l'apothéose[1] ; solitude de la vie pour Thésée et Aricie, voués aux larmes et aux regrets. Qu'il soit ou non sincère, Racine prétend montrer à son public les ravages de la passion.

---

1. Hippolyte fut divinisé après sa mort et honoré comme un dieu. En Italie, il fut adoré sous le nom de Virbius.

11 Langage et poésie

On a souvent loué la poésie racinienne. « Quels vers ! quelles suites de vers ! Y eut-il jamais, dans aucune langue humaine, rien de plus beau », écrit Gide dans son *Journal*. *Phèdre*, modèle achevé de « poésie pure », vaut autant, sinon plus, par la magie de son incantation que par son pathétique et la profondeur de ses analyses.

■■■■■ MUSIQUE ET POÉSIE

Racine est poète parce qu'il a le sens musical. Chez lui, le langage poétique, avec ses sonorités, ses rythmes et ses images, met en valeur les réactions et les états d'âme des personnages. En voici quelques exemples. Quand Phèdre s'exclame :

> Ariane, ma sœur, de quel amour blessée
> Vous mourûtes aux bords où vous fûtes laissée !
>
> (v.253-254),

le jeu des sonorités en [ou] et [ü] exprime, comme dans un chant intimement et sourdement modulé, la tendresse, la nostalgie et le désespoir.

Quand Œnone veut arracher sa maîtresse à son affliction, elle associe leurs deux destins :

> Mon âme chez les morts descendra la première.
> Mille chemins ouverts y conduisent toujours,
> Et ma juste douleur choisira les plus courts.
>
> (v. 230-232).

Les sonorités assourdies des deux premiers vers, l'absence (à l'intérieur de chaque vers) presque totale de pause qui engendre un rythme précipité, l'emploi enfin des verbes « descendre » et « conduire » renforcent l'idée d'une chute irrésistible dans le monde des morts. En soulignant la multiplicité des itinéraires (« Mille chemins »), le vers 231 illustre la volonté de mourir d'Œnone. Le thème est repris dans le vers suivant, avec ses allitérations en [n] et en liquides[1] qui rappellent la ligne musicale du vers 231. On sent qu'Œnone est sincère, et, déjà, on l'imagine, fantôme courant vers les bords du Styx, le fleuve des Enfers. Racine n'a pas même besoin d'un couplet pour créer le charme. Un seul vers suffit.

De même l'effet des sonorités est très étudié dans les vers suivants :

> Depuis que sur ces bords les Dieux ont envoyé
> La fille de Minos et de Pasiphaé.

(v. 35-36).

Les [i] confèrent par leur stridence une tonalité inquiétante tandis que le son [a] est plus clair, plus brutal. Le rythme s'adapte par ailleurs au sens : le vers 35 possède une coupe presque insensible à l'hémistiche (milieu du vers séparant l'alexandrin en 6 + 6 syllabes), cependant que l'hémistiche du vers 36 est plus marqué. De là naît une impression de déséquilibre, que l'oreille enregistre instantanément.

Une adéquation parfaite existe également entre les états psychologiques du personnage et les effets musicaux. En voici deux exemples. Dans le vers 154 :

> Je ne me soutiens plus : ma force m'abandonne.

les consonnes liquides [m] et [n] qui amortissent tout éclat sonore expriment la lassitude de Phèdre. Déplorant son mal, Phèdre élève la voix jusqu'à moduler une plainte perçante que suggère la répétition des [i] :

> Tout m'afflige et me nuit, et conspire à me nuire.

(v.161).

Racine possède ainsi l'art d'utiliser les sortilèges révélateurs de la musique quand il veut éclairer les âmes.

---

1. Les liquides sont les consonnes l, m, n, r, qui, placées après une voyelle muette, sont de prononciation aisée.

Des tableaux évocateurs

Racine a souvent inspiré les peintres. C'est que tout son théâtre est rempli de « tableaux ». Les effets musicaux et stylistiques collaborent à leur création. Il suffit à Phèdre de dire, à propos de la flotte d'Hippolyte :

> Déjà de ses vaisseaux la pointe était tournée,
> Et la voile flottait aux vents abandonnée.
>
> (v. 797-798),

pour qu'aussitôt surgisse dans notre esprit l'image de galères équipées pour le départ et ballottées par la houle. L'image s'impose d'autant plus que les mots clés (la « pointe » = la proue ; la « voile ») se trouvent mis en valeur par leur place : au début du second hémistiche pour « la pointe », et en début de vers pour « la voile ».

Phèdre songe-t-elle à Hippolyte, menant son attelage :

> Quand pourrai-je, au travers d'une noble poussière,
> Suivre de l'œil un char fuyant dans la carrière ?
>
> (v. 177-178)

Le rythme des vers 177 (3 + 3 + 6) et 178 (4 + 2 + 6) évoque une course rapide, un cocher pressant ses chevaux et disparaissant au bout de la piste. L'image, de nouveau, s'impose d'elle-même.

Trois types d'images

Plus généralement, on peut classer ces images en trois catégories : mythologiques, idylliques et hallucinatoires.

● **Les images mythologiques** servent à recréer un état de civilisation très reculé dans le temps. C'est encore l'enfance de l'humanité. L'homme vit dans l'intimité des dieux, le surnaturel fait partie de l'existence journalière. Phèdre ouvre, par exemple, sous nos yeux le gouffre qui l'épouvante. Imaginant l'attitude de son père Minos, juge aux Enfers, elle décrit sa colère prévisible devant la passion criminelle de sa fille :

> Que diras-tu, mon père, à ce spectacle horrible ?
> Je crois voir de ta main tomber l'urne terrible ;

> Je crois te voir, cherchant un supplice nouveau,
> Toi-même de ton sang devenir le bourreau.
>
> (v. 1285-1288).

La vision est concrète, et s'adresse autant à la vue qu'à l'ouïe du spectateur (ou du lecteur).

Les éléments naturels participent à la vie universelle, comme s'ils éprouvaient des sentiments. La terre engloutit les hommes et, « humectée », elle

> But à regret le sang des neveux d'Érechthée.
>
> (v. 426).

Elle renferme aussi les « cavernes sombres »,

> Lieux profonds, et voisins de l'empire des ombres.
>
> (v. 966),

où Thésée fut enfermé.

Si la mer, unie au vent, symbolise la liberté et l'évasion, elle indique également la mort. ;Œnone

> A cherché dans les flots un supplice trop doux.
>
> (v. 1632).

Dans le récit de Théramène relatant la mort d'Hippolyte, les vagues reculent, comme si elles étaient épouvantées, devant le monstre qu'elles apportent (v. 1524). Une allusion mythologique, un nom propre ou géographique, l'évocation des éléments fondamentaux, constitutifs de l'univers, font renaître un passé lointain, primitif, avec une dimension qui rappelle la couleur de l'épopée.

● **Les images idylliques** viennent parfois adoucir la sauvagerie de ces tableaux. Les unes font surgir Hippolyte beau comme un dieu, pourchassant le cerf ou faisant courir son cheval sur la plage. Théramène dit qu'on voyait Hippolyte

> Tantôt faire voler un char sur le rivage,
> Tantôt, savant dans l'art par Neptune inventé,
> Rendre docile au frein un coursier indompté.
>
> (v. 130-132).

Aricie déclare à sa confidente qu'elle aime en Hippolyte « sa beauté, sa grâce tant vantée » (v. 438).

Lui-même décrit le trouble que lui inspire l'amour qu'il éprouve pour Aricie en avouant que rien ne l'intéresse désormais :

Mon arc, mes javelots, mon char, tout m'importune ;
Je ne me souviens plus des leçons de Neptune ;
Mes seuls gémissements font retentir les bois,
Et mes coursiers oisifs ont oublié ma voix.

(v. 549-552).

D'autres images, fraîches et apaisantes, présentent un port
baigné de lumière, des vaisseaux à l'ancre, des vagues luisant
sous le soleil (v. 797 et suivants). On dirait que, par instants,
le dramaturge veut nous arracher à ces voûtes sombres où
l'on suffoque, où les désirs et les haines s'exaspèrent.

● **Les images hallucinatoires** campent Phèdre tantôt ivre
de jalousie, tantôt accablée sous l'excès de douleur. Elle
imagine le monde infernal (acte IV, scène 6) : Minos le juge,
la foule des morts, qualifiés de « pâles humains », l'urne d'où
l'on tire la sentence, les supplices du Tartare, le fleuve des
Enfers... À l'arrière-plan, surgit un ciel empli de divinités, de
ses parents qui l'abandonnent. La vision devient obsédante,
créée par un flot d'apostrophes, d'interjections, d'interroga-
tions, d'exclamations haletantes (v. 1273-1289). Elles révèlent
le fond d'une conscience si bouleversée que, par moments,
celle-ci échappe au contrôle de la raison.

▧ LYRISME

Phèdre dit son amour, ses peines, sur un rythme passionnel,
sur un mode lyrique. Presque toujours, elle paraît s'exprimer
par des chants plus que par des tirades ou des couplets.
Elle adresse au Soleil (I, 3) une incantation, entonne une
sorte d'hymne. Plus calme, rêvant de bonheur, elle module
une complainte (v. 176-178). Ailleurs, sa passion désespérée
s'exhale en lamento (vers 1225-1250), en transes prophétiques
(v. 1253-1294). Elle chante sur un rythme fiévreux son
« odieux amour » pour Hippolyte (II, 5), sa honte (III, 3), sa
jalousie (IV, 5), la répulsion que lui inspire finalement Œnone
(v. 1307-1326). Le chant s'empreint d'une tristesse élégiaque
quand elle gémit : « Tout m'afflige et me nuit, et conspire à
me nuire » (v. 161). Les autres personnages ont également
recours au chant lyrique dans les moments d'émotion
extrême : Thésée implorant l'aide du dieu Neptune

(IV, 3) ou pleurant son fils (V, 7) ; Hippolyte célébrant la gloire de son père (I, 1), chantant avec Aricie un duo d'amour (II, 2). Théramène recourt à des accents épiques pour relater la mort d'Hippolyte (v. 1519-1540), puis soudain exhale sa souffrance en une lamentation poétique (v. 1545-1570). Tout est chant dans *Phèdre*, au moins dans les scènes majeures.

■■■■■ DES PROCÉDÉS SIMPLES

Tant de puissance émotive charme et étonne d'autant plus que Racine la crée avec une économie exemplaire de moyens. N'exagérons pas la soi-disant indigence du vocabulaire racinien, dont on a parfois parlé. Mais il est vrai qu'un nombre limité de procédés confère au vers ses qualités classiques.

Deux fréquentes tournures de style caractérisent la manière dont les personnages s'expriment. Comme tous sont des gens d'un rang social élevé (même les confidents sont des gens de Cour, des familiers des princes), leur langage a quelque chose de noble, de raffiné. Ce style soutenu est rendu par :
— l'emploi de l'adjectif, souvent placé devant le nom qu'il qualifie : « des amoureuses lois » (v. 59) ; le « sacré diadème » (v. 801) ; « ma jalouse rage » (v. 1258) ; le « sacrilège vœu » (v. 1316) ;
— l'emploi de mots abstraits au pluriel (appelé pluriel poétique) qui étoffe en généralisant. Les amants parlent de leurs ardeurs, de leurs froideurs, de leurs mépris... On dirait que la multiplicité estompe le caractère trop précis des confidences.

En revanche, Racine emploie le singulier au lieu du pluriel quand il lui faut donner aux passions une force inhabituelle. Lorsque Thésée veut marquer l'ignominie d'un fils qu'il croit monstrueux, il lui crie :

> Après que le transport d'un amour plein d'horreur
> Jusqu'au lit de ton père a porté sa fureur,
> Tu m'oses présenter une tête ennemie
>
> (v. 1047-1049).

Ordinairement, on parle de « transports amoureux » : le singulier fait peser toute la charge de l'accusation sur un seul être, exceptionnellement pervers.

L'autre aspect caractéristique de cette poésie réside pour nous dans un discret archaïsme : le participe est apposé au sujet avec la valeur d'une proposition subordonnée. Racine écrit :

> Les monstres étouffés et les brigands punis, [...]
> Et les os dispersés du géant d'Épidaure,
> Et la Crète fumant du sang du Minotaure.
>
> (v. 79 et 81-82)

Au lieu de mots abstraits (l'étouffement, la punition, la dispersion...), ce tour met l'action sous nos yeux, de façon vivante et concrète.

Ce qui donne enfin à cette poésie son extraordinaire pouvoir de suggestion, c'est le retour ou la juxtaposition de mots dont le rappel ou le rapprochement crée chez le spectateur une impression obsédante. Par exemple, le mot « feu » qui, au pluriel, traduit une passion brûlante. Il réapparaît avec des nuances différentes, mais toujours associé au désir ardent de Phèdre, souligné quelquefois par des références aux frissons, à l'accablement, à la folie :

> Je sentis tout mon corps et transir et brûler.
> Je reconnus Vénus et ses feux redoutables,
>
> (v. 276-277)

Phèdre prend sa « flamme en horreur », maudit « une flamme si noire » (v. 308 et 310). À Hippolyte, elle déclare : « Oui, Prince, je languis, je brûle pour Thésée » (v. 634). La sensation de brûlure est parfois si intense qu'elle est indiquée directement :

> Penses-tu que, sensible à l'honneur de Thésée,
> Il [Hippolyte] lui cache l'ardeur dont je suis embrasée ?
>
> (v. 845-846)

Ou bien :

> Mon époux est vivant, et moi je brûle encore !
>
> (v. 1266).

Le thème du feu est souvent lié à la déraison : « Il sait mes ardeurs insensées » (v. 765). Le feu est toujours sous-jacent, toujours associé à des catastrophes. Est-ce un hasard si le monstre qui épouvante l'attelage d'Hippolyte crache le feu (v. 1533-1534) ? Si Thésée fit « fumer » (v. 82) la Crète du sang du Minotaure ? Si Phèdre fait « brûler » (v. 284) l'encens pour apaiser Vénus ?

Plusieurs mots chers aux personnages sont également d'une richesse ambiguë : « monstre », « sang », « fumée », « jour », « lumières », « ombres », etc., sont autant de symboles qui suggèrent l'état d'esprit et les hantises des personnages.

Par le langage, par le thème du feu, par les images idylliques qui parcourent la pièce, par les hésitations de Phèdre qui tantôt aspire à revoir le jour et tantôt, épouvantée, se réfugie sous les voûtes du palais, la tragédie devient une sorte de symphonie primitive.

Nul ne décrète qu'une œuvre est un chef-d'œuvre. Ce qui distingue le chef-d'œuvre d'une production ordinaire, c'est sa capacité de se prêter à travers le temps à de multiples interprétations : le sens du chef-d'œuvre ne sera jamais épuisé.

Or, l'œuvre de Racine, et *Phèdre* au premier chef, ont été l'objet d'interprétations nombreuses et, parfois, contestées. On n'en retiendra que trois, qui ne se situent d'ailleurs pas sur le même plan. La première s'interroge sur la signification de la pièce et a été formulée du vivant même de Racine ; les deux autres s'efforcent, à la lumière de la psychanalyse et d'autres disciplines modernes, de renouveler le sens d'un texte constamment étudié depuis trois siècles.

« PHÈDRE » EST-ELLE JANSÉNISTE ?

Définition du Jansénisme

Le jansénisme prend sa source dans les écrits de saint Augustin[1], dont l'évêque hollandais Jansen (encore appelé Jansenius) avait rédigé un commentaire, l'*Augustinus*, publié en 1640, deux ans après la mort de son auteur. Mais, à cette date, les idées de l'ouvrage étaient déjà connues et avaient trouvé un écho favorable chez des prêtres et des laïcs qui, séduits par cette théologie, s'étaient retirés à Port-Royal (voir p. 9-10).

Cette doctrine professait que depuis le péché originel, l'homme n'est plus entièrement libre, qu'il ne peut obtenir le salut de son âme que par la grâce divine et par elle seule.

---

1. Saint-Augustin (354-430) était un évêque théologien qui insista dans ses écrits sur l'incapacité de l'homme à obtenir son salut par lui-même.

Mais Dieu ne l'accorde qu'à ceux qu'il a élus. C'est la thèse dite de la « prédestination » : Dieu décide seul et par avance des créatures qu'il veut sauver et de celles qu'il voue à la damnation, sans considération de leur foi ni de leurs actions. Ce qui ne signifie pas que l'homme ne doive rien faire pour se sanctifier. Mais ses pensées et ses actes, si vertueux soient-ils, ne seront jamais suffisants pour mériter l'inestimable bienfait du salut.

Une interprétation janséniste de *Phèdre*

Or, comme les jansénistes qui possèdent un sens aigu du péché, Phèdre a une vive conscience de sa déchéance : elle sait qu'elle expie le péché originel qui pèse sur sa race, et elle est persuadée qu'elle est promise à la damnation (v. 1269-1289). Les mots qu'elle prononce peuvent aisément prendre une coloration janséniste : « faute », « crime », « souillure », « enfers ». Il est vrai que son suicide est contraire au jansénisme (et au christianisme en général) ; mais il fait partie de l'arsenal tragique ; c'est l'un des ressorts du dénouement.

De là vient que, dès sa création en 1677, on a pu voir en *Phèdre* une tragédie janséniste. L'héroïne représenterait l'un de ces êtres déchus auxquels Dieu, dès leur naissance, a refusé le salut. Phèdre a beau lutter contre la tentation du péché, chercher des secours dans la religion (en multipliant les sacrifices à Vénus), sa perte est certaine, car elle est prédestinée.

Objections à cette thèse

Cette interprétation, maintes fois défendue, est cependant loin d'entraîner une totale unanimité[1]. Elle soulève en effet plusieurs objections. D'abord, sur un plan général. S'il est évident que Racine a été fortement marqué par le jansénisme, cela n'implique pas automatiquement qu'il ait voulu écrire une tragédie janséniste. Ensuite, sa volonté, affichée dans la

---

1. Défendue par F.-J. Tanquerez (*Le Jansénisme et la tragédie de Racine*, Boivin, Paris, 1939), cette interprétation a été notamment contestée par J. Cousin (« Phèdre n'est point janséniste », *Revue d'histoire littéraire de la France*, 1933, p. 397-399.

préface de la pièce, de réconcilier le théâtre et des personnes « célèbres pour leur piété », ne fait que reprendre des lieux communs sur la fonction morale du théâtre. Tout au long de l'histoire du théâtre classique, les dramaturges ont à l'envi répété que leurs œuvres remplissaient une fonction morale dans la mesure où, en montrant sur scène à quels malheurs aboutissaient les dérèglements passionnels, elles tuaient chez le spectateur le désir d'imiter les personnages.

La seconde objection s'appuie l'une des caractéristiques fondamentales du genre littéraire qu'est la tragédie. Celle-ci repose en effet depuis toujours sur la notion de faute. Aristote (voir p. 45) recommandait que le héros tragique ne fût ni tout à fait coupable ni tout à fait innocent. S'il était totalement coupable, son châtiment ne pouvait en effet émouvoir le spectateur, qui le jugeait mérité ; s'il était, à l'inverse, complètement innocent, sa punition indignait, scandalisait, mais n'émouvait plus. En campant Phèdre coupable malgré elle, Racine se conforme à la loi du genre.

Par ailleurs, sans entrer dans de complexes et minutieux débats théologiques, force est de reconnaître que, dans la pièce, la divinité n'est nullement représentée comme une divinité juge (ainsi que l'imaginent chrétiens et jansénistes), mais comme une puissance foncièrement maléfique, responsable de l'amour de Phèdre.

Enfin, contrairement aux jansénistes hantés par le péché, Phèdre se sent plus coupable de dire qu'elle aime Hippolyte que de l'aimer en secret (v. 740-742) :

> [...] je n'ai que trop parlé.
> Mes fureurs au dehors ont osé se répandre.
> J'ai dit ce que jamais on ne devait entendre.

C'est pourquoi, avant de considérer Phèdre comme une pièce janséniste, il convient d'y voir une pièce qui respecte les lois traditionnelles du genre. Par la fatalité qui écrase le personnage, l'œuvre s'alimente aux sources traditionnelles du tragique grec.

◼◼◼ L'EXPLICATION PSYCHOCRITIQUE

La thèse de Mauron

La psychocritique, inaugurée par les travaux de Charles Mauron[1], appartient au courant dit de la « nouvelle critique » apparu dans les années 1950. Rejetant les méthodes jugées trop traditionnelles de la critique littéraire classique[2], la « nouvelle critique » se propose d'étudier les textes à l'aide des outils et des acquis de disciplines modernes telles que la sociologie, la psychanalyse[3], la phénoménologie[4], l'anthropologie[5]. Rien n'est plus légitime que ce souci. Analyser aujourd'hui le *Roman de Renart* ou *La Chanson de Roland* uniquement en fonction de ce que savaient les hommes du Moyen Âge serait une aberration et conduirait à répéter indéfiniment les mêmes choses, sans jamais faire progresser les sciences humaines.

La psychocritique se présente comme une application de la psychanalyse à la critique. Elle part du principe que la personnalité profonde d'un artiste se projette dans son œuvre. Ainsi, en étudiant les structures d'une œuvre, les images obsédantes qu'elle renferme, c'est-à-dire celles qui reviennent le plus fréquemment, on peut découvrir quels désirs et angoisses secrets habitent l'artiste. Or, selon Charles Mauron, la personnalité de Racine a été marquée par deux empreintes indélébiles : sa condition d'orphelin et son éducation janséniste.

Interprétant de manière psychanalytique le rôle joué par la tante de l'auteur (« Mère Agnès », supérieure de Port-Royal)

---

1. Ch. Mauron, *L'Inconscient dans l'oeuvre et la vie de Racine*, Ophrys, 1957.
2. La critique littéraire classique s'appuie surtout sur l'étude intrinsèque du texte, du genre littéraire auquel il appartient, sur l'histoire biographique, sur celle des événements et des mentalités.
3. Ensemble des théories de Freud (1856-1939) et de ses disciples concernant la vie psychique consciente ou inconsciente.
4. Méthode philosophique qui se propose par la description des choses elles-mêmes de découvrir les structures de la conscience.
5. Ensemble des sciences qui étudient l'homme.

dans la formation affective du « sur-moi[1] » de l'enfant, Charles Mauron estime que l'« image » de celle-ci dut être prédominante. Or cette image, poursuit-il, « était celle d'une jeune fille. Cela dut favoriser une fixation ambivalente à la mère[2], objet de crainte et d'amour à la fois, et aggraver les difficultés œdipiennes, entre trois et six ans ». On sait que pour les psychanalystes, tout fils éprouve, en son plus jeune âge, le complexe d'Œdipe, c'est-à-dire le désir de s'unir incestueusement à sa mère. Le jansénisme, en considérant les instincts comme radicalement mauvais, renferme par ailleurs toutes les caractéristiques d'une névrose obsessionnelle[3].

Lecture psychocritique de *Phèdre*

S'appuyant sur ces observations, Charles Mauron renverse l'optique traditionnelle de la pièce. Hippolyte, estime-t-il, ressent pour Phèdre, inconsciemment, comme tous les fils, un désir incestueux (pour satisfaire à la bienséance et pour respecter la légende, Racine a remplacé la mère par la belle-mère). Mais ce désir est refoulé, écrasé par le « sur-moi » qu'incarne le père, Thésée, obstacle à l'assouvissement de l'instinct. Pourtant le « moi[4] » réagit, essaie de s'affirmer, recherche Aricie, avec qui il pourrait former le « couple ». Mais, là encore, il se heurte au « sur-moi », à l'interdit paternel, puisque Thésée a expressément ordonné que nul homme n'épouse Aricie (I, 1). Cependant, cet amour, bien qu'il soit défendu, est normal, honorable, acceptable par le « moi », alors que le désir incestueux, issu du « ça[5] », lui fait horreur. Il se produit donc un phénomène d'inversion : le

---

1. Dans le vocabulaire de la psychanalyse, le « sur-moi » se constitue de l'ensemble des tabous et des interdits religieux et moraux traditionnels.
2. C'est-à-dire l'attachement intense du désir à la « Mère Agnès » qui est à la fois une femme comme une autre et le substitut de la mère de Racine.
3. La névrose obsessionnelle se caractérise par des troubles affectifs et émotionnels (angoisses) dont le malade est conscient, mais dont il ne peut se débarrasser. Ces troubles n'altèrent pas l'intégrité des fonctions mentales.
4. Le « moi » désigne la partie consciente de l'individu, soumise à la raison et à la volonté.
5. Le « ça » représente la zone inconsciente de l'individu, où règnent les instincts les plus primitifs.

désir ressenti pour Phèdre, fruit défendu, se transforme en haine, provoquée par la faute qu'il signifie.

Ce désir se porte de la reine sur la princesse et devient conscient. Aricie représente ainsi le « moi » d'Hippolyte : elle sert de substitution à l'amour monstrueux et intolérable que le jeune homme éprouve pour Phèdre. Quant à Phèdre, elle est le double noir et criminel d'Hippolyte, l'image du « ça » inconscient et dépravé, opposé au « moi » conscient et sain. Le drame, s'organisant autour d'Hippolyte, consiste en l'échec du « moi », désireux de réaliser son unité en épousant Aricie, de s'arracher à l'emprise du « ça » (Phèdre), et de trouver un accord avec le « sur-moi » (Thésée). Ce que l'on peut schématiser et résumer de la manière suivante :

Constitution psychique d'Hippolyte

SUR-MOI : Thésée : triple obstacle, le mari, le père, le   roi.

MOI : Aricie représentant l'amour normal.

ÇA : Phèdre représentant l'amour incestueux qu'elle inspire à Hippolyte, et qu'elle éprouve pour Hippolyte.

Il y a donc un déplacement de culpabilité : le désir coupable du fils pour la mère s'inverse en un désir de la mère pour le fils. En somme, selon Charles Mauron, Phèdre et Hippolyte (songeons au titre primitif de la pièce) ne constituent qu'un seul personnage, tant Hippolyte est intimement lié à Phèdre. Son affectivité (son amour pour Aricie) ne peut se développer, le sentiment de sa culpabilité le fera mourir.

Cette lecture psychanalytique apporte à Phèdre un éclairage nouveau. Elle n'a pas toutefois la prétention (comme l'auteur lui-même le reconnaît) de découvrir la vérité. Sa légitimité scientifique est en outre contestable dans la mesure où ni les données légendaires telles qu'elles nous ont été transmises, ni le texte même de Phèdre n'autorisent à conclure qu'Hippolyte aime, fût-ce inconsciemment, Phèdre. Tout affirme le contraire. Enfin et surtout, même si cette interprétation (par ailleurs brillante et intelligente) jette peut-être quelques lueurs sur la genèse profonde de l'œuvre, elle n'en explique ni la puissance dramatique ni la singulière beauté : comment justifier autrement la disparition de la Phèdre de Pradon et le succès de celle de Racine ?

■ L'INTERPRÉTATION STRUCTURALISTE

Comme son nom l'indique, le structuralisme s'efforce de dégager et d'analyser des « structures ». Par ce mot de « structures », il convient de comprendre non pas l'architecture interne (le plan) d'une œuvre, mais des rapports profonds, communs à des ensembles différents. Soit les onze tragédies que Racine écrivit durant sa carrière. Elles représentent globalement des organisations différentes les unes des autres, dans la mesure où chacune de ces pièces ne ressemble à aucune autre, où, par exemple, *Andromaque* (ou *Britannicus*, ou *Iphigénie*) n'offre aucune similitude apparente avec *Phèdre*. Toute la question est cependant de savoir si, au-delà de ces apparences, il n'existe pas une structure cachée commune aux onze pièces et par rapport à laquelle chaque tragédie serait comme une variante.

La « structure » du théâtre de Racine

Cette « structure » propre au théâtre racinien, Barthes a tenté de la dégager dans un ouvrage intitulé *Sur Racine*[1]. Comme l'auteur y analyse l'ensemble de l'œuvre de Racine, il est nécessaire de procéder en deux temps : on exposera d'abord la thèse générale ; on l'appliquera ensuite à *Phèdre*.

Selon cette interprétation, la « structure » fondamentale du théâtre de Racine est un « rapport d'autorité ». Ce rapport paraît à Roland Barthes si permanent qu'il n'hésite pas à le représenter sous la forme d'une double équation :

A a tout pouvoir sur B,
A aime B, qui ne l'aime pas.

L'exercice du pouvoir que possède A revêt en outre un caractère toujours particulier en raison du lien spécifique qui unit les personnages : celui de l'ingratitude (qui est, effectivement, un thème fréquent des tragédies de Racine). B a une dette morale envers A ; dès lors, si B résiste à A,

---

1. R. Barthes, *Sur Racine*, (Le Seuil, 1963; réédité en poche, coll. « Points », 1979).

il devient un ingrat. Mais l'ingratitude est pour B la forme quasi obligée de sa liberté.

Ainsi A va-t-il tenter d'« agresser » B, en utilisant presque toujours la même technique : celle de donner pour mieux reprendre. B, quant à lui, résiste à cette « agression » soit par la plainte, soit par le chantage au suicide.

Au fond de cette lutte entre A et B, qui reproduit en quelque sorte la situation existante entre le bourreau et sa victime, Barthes découvre que A incarne le « Père » et que B est le « Fils ». Il faut toutefois comprendre le mot « Père » dans son sens psychanalytique : le mot ne désigne pas obligatoirement le père biologique, naturel, mais la personne qui incarne le passé, qui, par son antériorité (le fait d'avoir vécu avant le « Fils »), affirme son existence et son pouvoir sur B.

Plus précisément encore, l'image du « Père » se confond avec celle de Dieu, avec, non pas l'image du Dieu d'Amour de l'Évangile[1], mais du Dieu terrible et vengeur de l'Ancien Testament[2]. Car, selon Roland Barthes, le « Père » possède les mêmes attributs que Jahvé[3] : il est celui qui engendre un « sentiment panique d'attachement et de terreur », qui affirme le caractère inexpiable du passé et qui exerce toujours sa vengeance. « Son Être est la méchanceté. »

Mais comme le « Fils » (c'est-à-dire la créature) ne peut admettre que Dieu soit méchant, donc injuste, il va se faire coupable pour décharger la Divinité. Puisque le « Père » accable injustement le « Fils », il suffit que le Fils mérite rétrospectivement ses coups pour qu'ils deviennent justes. « Tout Racine tient dans cet instant paradoxal où l'enfant découvre que son père est mauvais et veut pourtant rester son enfant. » En somme, les tragédies raciniennes sont le procès de Dieu.

Roland Barthes conclut que ce « rapport d'autorité est extensif au rapport amoureux », c'est-à-dire que ce dernier fonctionne sur le même schéma.

---

1. Il s'agit des quatres Évangiles décrivant la mission terrestre de Jésus dans le Nouveau Testament qui constitue la seconde partie de la Bible.
2. L'Ancien Testament (première partie de la Bible) relate l'histoire mouvementée du peuple d'Israël.
3. Nom de Dieu dans l'Ancien Testament.

Une interprétation
qui soulève quelques objections

Malheureusement, cette interprétation, si elle rend compte d'une tragédie comme *Bajazet*, ne concerne pas beaucoup *Phèdre*. On peut certes admettre avec R. Barthes que A représente Thésée et qu'il est le propriétaire inconditionnel de la vie de B (Hippolyte). On peut encore admettre que A (Thésée) voue un amour paternel sincère à son fils. Mais rien dans le texte de *Phèdre* n'autorise à affirmer que B (Hippolyte) n'aime pas filialement son père. Quelle faute Hippolyte prendrait-il par ailleurs sur lui pour disculper son père ?

Si l'on examine le « rapport amoureux » dont Barthes soutient qu'il fonctionne de la même façon que le « rapport d'autorité », on n'aboutit pas davantage à des conclusions satisfaisantes. Il faut alors accepter que A représente Phèdre dans la mesure où elle exerce une contrainte sur Hippolyte pour l'obliger à faire ce qu'il ne veut pas (c'est-à-dire à l'aimer). Mais cette contrainte ne prend jamais dans la pièce la forme d'une pression morale ou d'un chantage. De quel pouvoir d'ailleurs dispose Phèdre sur Hippolyte ? Quant à écrire que A (Phèdre) aime B (Hippolyte) qui ne l'aime pas, c'est formuler une évidence, sauf si l'on suit Charles Mauron dans sa lecture psychanalytique de la tragédie (voir p. 70).

Que ces interprétations modernes et les controverses qu'elles suscitent encore aujourd'hui parmi les spécialistes ne nous déroutent cependant pas. Fruits d'intelligences toujours brillantes, souvent exceptionnelles, elles montrent que des chefs-d'œuvre comme *Phèdre* conservent obstinément leur mystère, et qu'au-delà du plaisir de la lecture et de l'analyse, ils continuent de nous parler et de nous interroger.

DEUX ALTERNATIVES

Retrouver la mise en scène initiale

Utiliser les rares points de repère fournis par le texte. Dans ce cas, le décor représente la salle voûtée d'un palais anonyme. Aucune échappée sur la mer ou le ciel. Seuls des effets d'éclairage et d'ombre soulignent la tonalité particulière des scènes. Le spectacle demeure ce qu'il était au temps de Louis XIV : une cérémonie, majestueuse, triste, dont le pathétique s'exprime uniquement par le prestige du langage. Elle s'adresse à un public d'initiés, pourvus d'une imagination assez vive pour se passer d'effets visuels.

Mettre en valeur une signification neuve

Il s'agit de prouver l'éternité du drame, la modernité de *Phèdre*. Ainsi Jean-Louis Barrault[1], sensible à la puissance musicale de l'œuvre, rappelle l'importance qu'attachait Racine à une déclamation qu'il voulait à la fois naturelle et chantante. Le metteur en scène doit donc diriger l'acteur pour que celui-ci fasse sentir le rythme et l'harmonie de l'alexandrin, pour qu'il s'efforce de réaliser un accord entre la voix et le geste. Par exemple, écrit Jean-Louis Barrault, quand Phèdre achève de réciter la tirade célèbre qui débute par : « Oui, Prince, je languis, je brûle pour Thésée » (v. 634 à 662), il faut qu'avec une voix « roucoulante » et « ouatée », avec une « démarche souple et ondulée », l'actrice sécrète « toute sa réserve de séduction ».

---

1. J.-L. Barrault, *Mise en scène de « Phèdre »*, (Le Seuil, 1972).

Quant au décor, poursuit-il, « il ne faut aucun ornement ou accessoire extérieur à l'action ». Une salle voûtée, un siège que l'on apporte à la scène 3 de l'acte I, que l'on enlève au premier entracte. Dans cette œuvre classique, « pur théâtre », tout doit être exprimé par l'homme. Seuls les jeux de lumière et d'ombre doivent tenir lieu de décor. Le drame se joue dans l'espace étroit, à demi obscur, d'une pièce anonyme. Il sied de ménager des zones d'ombre qui rendront plus pathétiques les moments d'extrême désarroi. Par contraste, des taches de lumière, violentes, rappelleront la proximité du monde extérieur lumineux, la possibilité d'une évasion finalement refusée. Ainsi éclatera l'opposition entre le palais de Trézène, lieu devenu irrespirable, et les alentours où règnent la liberté, la pureté, l'innocence, le bonheur.

███████ MONTER « PHÈDRE »

L'entreprise est ardue, elle exige la recherche d'un difficile équilibre : la tragédie, si près de nous par son humanité, doit être maintenue dans un passé qui l'auréole de poésie et de grandeur. Car la pièce de Racine, c'est aussi « le drame de l'humanité aux prises avec les puissances du mal. Cette Phèdre dont les genoux se dérobent, qui s'avance comme une somnambule, c'est le poids de notre destin qu'elle porte et qui l'écrase[1]. »

---

1. A. Adam, *Histoire de la littérature française au XVIIe siècle*, (Domat, 1954, t. 4).

QUELQUES CITATIONS

PHÈDRE
> *Noble et brillant auteur d'une triste famille,*
> *Toi, dont ma mère osait se vanter d'être fille,*
> *Qui peut-être rougis du trouble où tu me vois*
> *Soleil, je te viens voir pour la dernière fois.*
>
> (I, 3, v. 169 à 172).

PHÈDRE à OENONE
> *Quand tu sauras mon crime et le sort qui m'accable,*
> *Je n'en mourrai pas moins, j'en mourrai plus coupable*
>
> (I, 3, v. 241-242).

PHÈDRE à OENONE
> *Je sentis tout mon corps et transir et brûler*
> *Je reconnus Vénus et ses feux redoutables.*
>
> (I, 3, v. 276-277).

THÉSÉE
> *Et toi, Neptune [...]*
> *Je t'implore aujourd'hui. Venge un malheureux père.*
>
> (IV, 2, v. 1063 et v. 1073)

PHÈDRE
> *Déjà je ne vois plus qu'à travers un nuage*
> *Et le Ciel et l'époux que ma présence outrage.*
> *Et la mort, à mes yeux dérobant la clarté,*
> *Rend au jour qu'ils souillaient toute sa pureté.*
>
> (V, 7, v. 1641 à 1644).

ÉLÉMENTS DE BIBLIOGRAPHIE

Sur Racine, sa vie, son œuvre

— Pierre Moreau, *Racine, l'homme et l'œuvre* (Boivin, 1943). Livre d'accès facile, excellente base de travail.
— Raymond Picard, *La Carrière de Jean Racine* (Gallimard, 1956). Une savante étude de la biographie racinienne, indispensable pour qui veut connaître profondément la vie et la carrière de Racine.

Sur Racine et la « nouvelle critique »

— Alain Bonzon, *La Nouvelle Critique et Racine* (Nizet, 1970). Présentation critique et d'accès facile des nouvelles interprétations de Racine.
— Roland Barthes, *Sur Racine* (Le Seuil, 1963). Voir ci-dessus, pp. 72-74.

Sur « Phèdre »

Outre le livre, mentionné ci-dessus, de Charles Mauron :
  Thierry Maulnier, *Lecture de « Phèdre »* (Gallimard, 1943). L'auteur montre comment, dans la pièce, la passion aveugle coexiste avec la lucidité.
— Jean Pommier, *Aspects de Racine* (Nizet, 1954, réédition 1978). Livre capital dont de nombreuses pages sont consacrées à *Phèdre*.
— Charles Dédeyan, *La Phèdre de Racine* (C.D.U., 1956). Ouvrage documenté. Insiste longuement sur les sources, la genèse de la pièce, l'héroïne, les procédés littéraires.

INDEX DES THÈMES ET NOTIONS

PROFIL PRATIQUE

Imprimé en France par l'Imprimerie Hérissey - 27000 Évreux
Dépôt légal : 16486 - Janvier 1998 - N° d'impression : 79272